Collection « Azimuts »

Banc d'essai

azimuts | roman

Paul BEAULNE

BANC D'ESSAI

Données de catalogage avant publication (Canada)

Beaulne, Pol, 1951-
Banc d'essai

(Azimuts. Roman)

ISBN 2-89537-072-9

I. Titre. II. Collection.

PS8553.E249B36 2003 C843'.6 C2003-941200-8
PS9553.E249B36 2003

Nous remercions le Conseil des Arts du Canada de l'aide accordée à notre programme de publication. Nous reconnaissons l'aide financière du gouvernement du Canada par l'entremise du Programme d'Aide au Développement de l'Industrie de l'Édition (PADIÉ) pour nos activités d'édition. Nous remercions également la Société de développement des entreprises culturelles ainsi que la Ville de Gatineau.

Dépôt légal — Bibliothèque nationale du Québec, 2003
Bibliothèque nationale du Canada, 2003

Direction littéraire : Micheline Dandurand
Révision : Marie-Claude Leduc
Correction d'épreuves : Lise Marcaurelle
Infographie : Christian Quesnel

Éditions Vents d'Ouest inc.
185, rue Eddy
Gatineau (Québec)
J8X 2X2
Téléphone : (819) 770-6377
Télécopieur : (819) 770-0559
Courriel : info@ventsdouest.ca
Site Internet : www.ventsdouest.ca

Diffusion au Canada : PROLOGUE INC.
Téléphone : (450) 434-0306
Télécopieur : (450) 434-2627

À ceux qui, avec les mots des chansons,
tracent les lignes de nos vies

Chapitre premier

LA RUE SAINT-JEAN. La rue Saint-Jean animée. Qui hésite entre la vocation touristique et la vie de quartier. Deux mondes presque incompatibles. Pour le moins parallèles. Mais une rue grouillante, à ses heures. Surtout à ses heures ensoleillées d'été.

Simon, cheveux longs et mêlés, descend vers l'est. Sans but précis. Sans argent précis. Il regarde les vitrines où s'affiche tout ce qu'il ne peut s'offrir. De toute façon, il en est venu à ne plus désirer l'inaccessible. Par prudence. Presque à mépriser les choses. Par envie. Devant les boutiques de vêtements, il a atteint l'indifférence assez rapidement. Il est bien dans son jean troué, son vieux t-shirt et ses espadrilles moulées à ses pieds habitués au béton. Devant les étagères des épiceries fines ou des boulangeries, les boulangeries-pâtisseries surtout, il a trouvé ça difficile de s'habituer. Comment ne pas saliver? C'est une réaction biologique irrépressible, surtout quand on a faim. Alors il quête. Tous les jours. Il quête et s'offre des douceurs qui, pour d'autres, n'en sont pas. Question de point de vue. Le sien est assez minimaliste. Manger à court terme. Simon n'a qu'un terme. Le court.

Les bons jours, il s'offre des spaghettis. Mais le pain, c'est plus facile et ça bourre. Le court terme. Simon connaît bien. Le long terme, il ne le voit venir qu'à la dernière minute. Quelquefois, quand il peut aller chez quelqu'un, il apporte des patates et de la margarine. Avec du sel et du poivre, beaucoup de sel et de poivre. Il aime ça. Mais les repas, c'est sans importance pour lui. Il n'est pas comme ceux pour qui les repas ont pris une signification particulière, pour qui ils sont une sorte de célébration. Manger est une fonction primaire, pas symbolique. Les repas ne lui rappellent pas de souvenirs d'enfance, les soupers en famille, les desserts de maman. Simon s'efforce de vivre le passé à court terme. Comme l'avenir. De se rappeler les petites choses d'hier. Mais pas l'enfance. Pas l'adolescence. Pas la famille et pas le centre d'accueil, si peu accueillant. Ce qu'il aime surtout, c'est la crème glacée. Une petite boutique offre tous les parfums. Il les a tous goûtés. Simon quête pour se payer des crèmes glacées et il chante.

Simon déambule en chantant. Dans sa tête, il chante toujours. Quelquefois à voix haute. Mais il entend toujours la musique. Au-dessus de sa tête, comme un arc, d'une oreille à l'autre, comme dans un casque d'écoute. Les musiciens placés sur la scène. Les sons équilibrés. Sa marche suit le rythme. Ses pas, bien sûr, mais aussi le balancement de ses bras, les hochements de sa tête. Il s'arrête d'un coup pour marquer un roulement de batterie. Il lève le bras gauche, et ses doigts s'affolent sur le manche de guitare. Il tient le micro tout près de sa bouche et lance les paroles à qui les veut. Quelques pas de danse en arrière, de côté. On ne sait trop si la musique habite Simon ou si c'est l'inverse.

Devant la vitrine d'un prêteur sur gages, il s'arrête net. Il ne chante plus. Il déchante. La musique s'est tue. Dans la vitrine, là, sur un trépied, bien en évidence, une guitare. Sa guitare. D'un coup, comme si l'orage avait vaincu le ciel, la rue Saint-Jean devient toute sombre. Les pas des passants ralentissent. Ils s'estompent. La musique a fui la tête de Simon, les bruits de la rue aussi. Il faiblit. Appuie une main sur la vitre. « Déjà! se dit-il. Déjà! »

Ses yeux fixent la guitare. Il n'y a qu'elle dans la vitrine. Il n'y a qu'elle au monde. Dans la tête de Simon, elle esquisse les premières notes. Timidement. Elle prend de l'assurance. Elle égrène quelques notes. Simon retrouve sa voix intérieure.

– *Je fuis ma vie par en avant*
Bientôt peut-être il n'y aura
Qu'éclats de verre et désarroi
Je reviendrai soleil levant
Oui, je reviendrai, se dit Simon.

Une foule qui s'anime. Qui tape dans ses mains. Des sifflements. Des cris. Alors, Simon retrouve son sens. Il prend pied dans sa vie.

Il se retourne brusquement et entre dans le magasin, vaste espace aux tablettes garnies de rabais usagés, de vies empruntées et usées. D'objets non identifiés qui n'ont jamais vraiment nourri l'emprunteur. Lumière froide des néons. Et, au-dessus du comptoir, une affiche où brillent de rouges signes de dollars. De l'argent. De l'argent facile. En échange de morceaux de vie pour certains et de vies volées pour d'autres.

Simon se dirige droit au comptoir. Regard fixe sur l'homme bedonnant.

– Vous étiez pas supposé la mettre à vendre.

– De quoi tu parles ?

– La guitare… Là, dans la vitrine.

– Ah ! C't'à toi ça ?

– Vous aviez dit que vous attendriez.

– J'me rappelle pas de toi, mais si je l'ai mis là, c'est parce que le délai est passé.

– Ouais, mais vous auriez pu attendre encore un peu… Ça s'trouve pas d'même, cent piastres.

– Bof! A partira pas aujourd'hui… Inquiète-toi pas.

– Ouais, mais dans la vitrine, y a pas mal plus de chances.

– C'est vrai qu'a paraît ben…

– Vous donnez jamais d'chance à personne, vous autres !

– … Jamais… C'est pas payant.

– Calvaire, mets-la au moins dans l'magasin. J'vas t'en trouver d'l'argent, mais donne-moi un peu d'temps.

– Écoute mon pit ! Si tu lèves le ton, ta guitare, t'a r'verras pus jamais. M'en vas t'expliquer d'quoi, moi. Ton délai, y est passé pis là, les prix montent. J'peux aller chercher cent cinquante piastres avec c'te guitare-là…

– Cent cinquante piastres ? T'es malade… T'auras même pas cent piastres pour… Pis en plus, y faut changer les cordes.

– Fais ben attention d'pas trop m'écœurer, toi. Pour le moment, c'est moi qui a l'gros boute du bâton. Fait que tu t'en vas pis tu r'viens juste quand t'as d'l'argent.

– J'vas te l'trouver ton hostie d'argent sale, j'vas te l'trouver, inquiète-toi pas.

Simon, tête haute et yeux de colère, sort du magasin où l'on consigne la vie des autres. Simon marche rue Saint-Jean et, peu à peu, la tête s'enfuit entre les épaules, le sexe s'écrase entre les jambes et le cœur se blottit en lui-même. Coup de cymbale. Déferlement de mots. Tonus. Tonne. Tonnerre. Tonitruant. Tank et recto-tono.

– Des chars d'assaut qui démolissent ce qui existe, ce qui persiste, qui mettent à terre des tonnes de briques et de béton, qui mettent en terre des tas de gens qui s'crachent dessus les uns les autres, des gros canons, des p'tits fusils pourvu qu'ça tire et qu'les gens tombent, de toute façon y sont déjà au fond du trou, y reste pus juste à enterrer les survivants pendant qu'ailleurs on fait des p'tits sans même l'espoir qu'y nous survivent…

Cris. Ça crie à l'intérieur de Simon. Ça crie vengeance. Ça crie à l'impuissance. La marche est presque une course. Devant le cimetière Saint-Matthieu, il ralentit le pas. Le cimetière qui est un parc. Le parc-cimetière. Un banc devant le mur de pierres du parc-cimetière. Le banc. Près de l'église. L'église qui est une bibliothèque. L'église-bibliothèque. Le banc. C'est son coin à lui. Un espace de planète où il se sent à l'abri. Chez lui. Les passants sont des visiteurs qui traversent sa zone. Il sait recevoir. Dans ce monde, on accueille les visiteurs poliment. On tend la main. Bien souvent en chantant. Les gens donnent ce qu'ils veulent. Bien souvent rien. Mais on garde le sourire. Bien souvent, mais pas toujours. Quelquefois la hargne. Quelquefois l'ennui.

♫

Une porte écaillée qui donne sur une marche qui tombe sur le trottoir. Sur le béton, la masse torride d'un soleil d'été. Tordue dans son cadre, la porte s'ouvre difficilement, avec hésitation. La vitre craquelée branle dans son châssis éreinté. Le dos voûté sous un trench usé, Bernard s'appuie au chambranle pour descendre la marche. Tête baissée, il tend le bras pour atteindre la porte restée ouverte. Il la tire vers lui, mais elle ne glisse pas sur ses gonds. Elle résiste. Bernard saisit la poignée et tire par à-coups. Rien à faire. La porte ne ferme pas. L'œil absent, le visage vieilli trop tôt, Bernard abandonne la lutte. Sur ses épaules agitées de mouvements brusques, sa tête cherche sa place. Habitué, Bernard laisse faire. Il ne se bat plus et les soubresauts se calment d'eux-mêmes.

Reprenant toujours la même route, Bernard s'en va, étranger au monde, les bras étirés le long du corps et les mains qui dépassent des manches trop courtes de son manteau. Depuis longtemps, il n'a plus besoin de s'occuper de ces choses terre à terre. Son corps s'en occupe tout seul. Bernard le laisse faire. Son âme, elle, se laisse aller.

L'habitude fait le reste. Mêmes rues, mêmes gestes. Sans savoir depuis quand et pour combien de temps encore. Un jour, la vie s'arrêtera, c'est tout.

Bernard emprunte la petite rue aux maisons délabrées où il habite. Au coin, une fille égarée semble s'être trompée d'heure. Elle est hors d'ordre. Son ordre est la nuit. Elle le regarde à peine. Il ne la voit pas. Même les corps sont des décors, fixés en temps et lieu, et le corps de Bernard circule entre, insouciant. La pièce est toujours la même et Bernard attend le dernier acte, tragique. Il marche. Il avance et le temps passe. Il marche en marmonnant. « Pis *so what!* » peut-on saisir à travers les monosyllabes secrètes. Rien de plus.

Sur ses épaules courbées, la tête garde l'équilibre. Il vit avec son tic depuis si longtemps. C'est le signal d'un trouble. Le seul lien entre les deux, le corps et l'autre, l'âme peut-être. Ils se sont habitués l'un à l'autre. Le corps et l'autre. Le plus enfoui. Qui vit, pourtant. Tant bien que mal.

À l'intérieur, Bernard est. Il ne va pas. À l'extérieur, le corps s'en va. Il longe les murs, et les enfants qui jouent dans la rue ne se moquent même plus de lui. Ils ont peut-être compris. Tout au moins, ils ont admis. Tolérance. Mais Bernard n'en sait rien. Il se contente d'être. Et son corps passe.

Dans Saint-Roch, la tolérance est plus grande. Ceux qui sont différents sont la norme. Les pauvres et les schizos, les alcoolos et les toxicos, les Noirs et les Amérindiens, les sexes ambigus. Une acceptation tacite troublée à l'occasion par les guerres de clans. Pour une illusion de pouvoir ou une gloriole passagère. Intolérance de survie.

Bernard ne pleure jamais devant le monde. Il ne pleure pas. Il hurle en dedans. Il crie son silence. Il ne voit pas d'où viennent les chemins ni où ils conduisent. Il a perdu la carte. Et depuis longtemps, il ne cherche plus. Il glisse dans sa propre solitude et laisse le monde tourner rond. À la longue, les silences sont devenus une sorte de murmure permanent. Derrière cette voix, ou en son cœur, Bernard se dissimule et cache sa propre gêne. Son silence le trouble un peu, mais il a appris à vivre avec. Le silence et la gêne. Il ne voit plus les gens qui passent. Ne croise plus de regard. De toute façon, les passants regardent toujours juste à côté des yeux, juste en retrait. Ils évitent. Bernard laisse faire.

Bernard longe les murs des maisons et contourne instinctivement les marches de béton qui tombent sur le trottoir. De vieux papiers, des mégots, des sacs et des morceaux de verre s'entassent le long des murs, dans les recoins des marches. Ils s'enlisent. Surtout dans la chaleur humide. Mais Bernard ne s'y attarde pas. Un mélange d'instinct et d'habitude prend soin de lui. Puis, quand il marche, comme ça, il se calme. À peine quelques petits sursauts. Les bras ballottés au rythme des pas. Bernard ne s'occupe pas de son corps, pas même quand il marche. Le mouvement l'enveloppe, l'isole du reste de la vie. Il s'y glisse, s'y laisse entraîner et y retrouve une forme de paix. Comme si son corps choisissait pour lui un chemin, sans qu'il fasse d'effort.

Dans sa tête une eau calme dans la nuit. Sur l'eau calme, une goutte tombe et ses ondes concentriques s'éloignent une à une. Sur cette eau sombre, une autre goutte tombe. Une autre goutte encore. Une dernière, plus faible. Presque éteinte. Alors les ondes s'évanouissent. L'eau se replie toujours sur elle-même.

♫

Simon et le banc. Le sien. À lui et à Bernard. Il est déjà là, Bernard. Comme d'habitude. Il a sa route, qui le conduit invariablement ici. Au banc. Il s'y assoit et attend. Le temps, la vie, quelquefois la pluie. Simon vient s'asseoir près de lui. Son ami. Les coudes sur les genoux, la tête dans les mains.

– C't'à cause de ma guitare. Ça m'prend ça pour vivre…

Un mur de silence. Jamais Bernard ne bronche. Encore moins ne parle. C'est toujours Simon qui cause. Des fois longuement. Le plus souvent par bribes, ne croyant pas vraiment que l'autre écoute. Il parle seul à Bernard. Mais la plupart du temps, il chante. Il met sa veste de jean par terre, y lance deux ou trois pièces et se met à chanter. Il mime la guitare, il mime la batterie, il mime le piano. Mais il chante. Dans sa tête finit toujours par pousser une chanson. C'est une terre pour ça. Il n'y pousse rien d'autre. Aucune greffe n'a réussi jusqu'à ce jour.

Il se tourne vers Bernard, lui adresse un sourire et se lève.

– Le *poor lonesome cowboy* a même pas d'guitare!

Simon s'éloigne. Il erre. Sur le trottoir. Sur place. Dans sa tête. Arrive Marie, rose chevelure et anneau au sourcil. Elle a le pas léger et sautillant. Marie dessine son itinéraire au jour le jour. Comme Simon, elle couche à l'étoile qui ne leur sourit pas toujours. Simon survit. Marie cherche. Mais ses arrières sont assurés. Au besoin, elle peut reculer vers Lac-Beauport, sa famille de banlieue. Simon, lui, ne regarde pas en arrière.

Marie, le poignet chargé de bracelets, prend Simon par le cou et l'entraîne en riant. Pour la forme, il résiste. Il se dégage et lance à Marie sa veste de jean, son abri de sans-abri, qu'il traîne toujours avec lui. Marie s'arrête net et ne s'occupe même pas de la veste qui tombe par terre. Elle empoigne la chevelure blonde et relève la tête dont elle fixe les yeux. Simon, à deux mains, la saisit à la gorge en prenant l'air féroce. Marie craque et les deux éclatent de rire. Ils s'amusent. C'est la vie. Les rieurs rient et les enfants jouent à rire.

Alors, ils se remettent à marcher. Un pas de plus dans la vie. Un pas jusqu'au banc.

– C'est mon chum, explique Simon. Y l'sait pas, mais c'est mon chum…

– Tout un ami!

– C'est pas grave… Oublie ça.

Simon et Marie s'assoient sur le banc. Le soleil pèse lourd et le vent s'absente. L'air du temps présage l'orage. Marie sort un paquet de tabac et roule deux cigarettes. Elle les allume et en donne une à Simon qui l'accroche au coin de ses lèvres.

Alors Simon joue sur une guitare imaginaire et chante.

– *Fais-le ton trip, fais-le c'que t'as à faire*
Tu l'sais que chu un gars ouvert.
J'veux pas qu't'étouffes, j'veux pas qu'tu souffres
J'veux surtout pas t'pomper l'air

Fais donc c'qui t'tente, fais donc c'qui t'tente
Un point c'est tout pis on verra après ce qui m'dérange… *

* « R'viens pas trop tard », *L'Œil du zig*, Zébulon, texte de Marc Déry, musique de Zébulon, Les Productions Anacrouse.

Marie se berce, gauche et droite. Elle bouscule un peu Simon. Alors, elle enchaîne.

– *Mais r'viens pas trop tard...**

– Attends Marie, solo de guit!

Simon fait aller ses doigts sur la guitare imaginaire et sa musique résonne partout dans sa tête. Il joue et joue en se contorsionnant. Il prolonge le solo. Il prolonge le plaisir. Alors...

– *Va faire ta vie dans un autre pays*
Va faire ta vedette sur une autre planète
Va t'faire du fun avec une autre personne
Va t-en à jamais, va t-en va t-en à jamais

R'viens pas trop tard
*Mais r'viens pas trop tard...**

Alors Simon plaque un dernier accord. Il lève les bras vers la foule inventée.

– Merci beaucoup, merci...

Marie lui effleure la tête et lui ramène les cheveux sur le visage. Elle sourit.

– Tu couches où?

– Faut que j'vois Pat... J'vas p't-être aller chez eux...

– J'peux-tu y aller?

– Tu y d'manderas...

– Tu fais quoi aujourd'hui?

– J'sais pas encore... Toi?

– J'vas voir une fille tantôt... A veut voir mes tatouages... A veut s'en faire faire un...

Après un silence, Marie se lève. Alors Simon mime sa guitare de rêve et chantonne à Marie.

– *Les yeux fermés, les poings serrés*
y'en a qui se battent pour n'pas y rester.
Mais quoi que vous fassiez le temps que
vous êtes sur la terre ça changera pas
le fait que vous finirez en poussière.

---

* « R'viens pas trop tard », *L'Œil du zig*, Zébulon, texte de Marc Déry, musique de Zébulon, Les Productions Anacrouse.

Je suis la mort.
Je suis bien des choses dans
votre imagination.
Je suis la mort.
Je suis le début ou la fin c'est à vous
*de deviner**.

À côté, à côté mais plus loin. Un peu plus loin mais beaucoup plus profond, enfoncé en lui-même, Bernard bernarde en lui-même. Enfermé. Isolé. Par choix, presque. Par voie d'évitement. Éviter pire. La turbulence, par exemple. Ou la violence. Avec un certain consentement. Sur ses épaules, sa tête se repose. Elle se laisse aller, elle abaisse la garde.

Le soleil de l'après-midi tombe dru et on cherche l'ombre. Sauf Bernard sur son banc. Derrière le banc, dans le cimetière, on se repose. Dans le parc, on flâne.

Dans la fraîcheur du parc, chacun vaque à sa vie. Les amoureux s'aiment, les dormeurs dorment, les marcheurs marchent et les enfants jouent à s'aimer, à dormir ou à marcher. Ils se jouent de la vie de ceux qui vaquent.

Sur un banc, une femme croise les jambes sous une jupe flamboyante. Elle ferme un livre à l'eau de rose et son regard cherche un avenir romanesque. L'espoir nourrit. Du parc au cimetière. C'est la vie.

Dans l'herbe, un jeune homme s'est endormi. Il oublie pour un temps. Sans finir un sandwich en plastique et une liqueur métallique qu'un chien bon vivant vient sentir. C'est la vie.

Un errant, un autre schizo peut-être, fouille une poubelle aux trésors. Il s'éloigne en marmonnant la pauvreté du trésor. Un peu plus loin, il se penche et ramasse un mégot qu'il porte à sa bouche sans l'allumer. Une aubaine. C'est la vie.

Sur une tombe, un jeune couple. L'amour n'est pas mort. C'est la vie.

---

* « La Mort », *Roche et roule*, Vilain Pingouin, texte et musique de Rudy Caya, Les Éditions Cayotteuses.

Marie partie, Simon rejoint quelques jeunes qui ne font rien au pied d'un gros arbre. Ne rien faire, c'est un peu leur lot. Il y a un âge pour ça. En fait, il n'y a que jeune qu'on comprend le sens de ne rien faire. Que c'est quelque chose en soi. Ne rien faire qu'être, qu'être et être avec des amis. Ou des gens qu'on prend pour des amis. Ne rien faire et se bercer d'illusions. Dans les bons moments, se sentir libre. Pour le reste, s'en prendre à la société. Refuser. Rejeter. La révolte est un signe critique. Juste avant de passer à l'action. Ou de s'anéantir.

Simon et les autres pratiquent une politique de non-intervention. À moins que refuser soit une sorte d'intervention, que ne rien faire soit un geste concret. Ils refusent l'autorité sous toutes ses formes. On leur a dit quoi faire, quoi penser et ils en sont là. Alors, qu'on ne leur dise plus rien. Quelques-uns ont sombré. Alcoolos et toxicos. Pauvres héros. Héros de l'héroïne. Les autres dansent sur la corde. Ils hésitent. Ils refusent l'encadrement. Ils refusent l'étiquette. Ne veulent pas être associés. Même à un groupe rebelle. Mais ils ne choisissent pas toujours ce refus. Refus refuge. Quelquefois, ils y sont confinés. La route a conduit à la rue. C'était l'itinéraire. Maintenant le refuge refus. Se trouver soi-même. Refus des autres pour se chercher soi-même. Se chercher, se reconnaître, s'admettre et s'accueillir. Limiter les espérances, les désirs. Se contenter de peu. De ce qu'on est. Faire semblant d'être satisfait. Plus loin, trouver le chemin du respect de soi-même.

Un des gars, Ben, chevelure frisée et anneau à l'oreille, tient une guitare qu'il frôle de ses doigts sans jouer vraiment. Sifflement dissonant parmi les chants d'oiseaux là-haut perchés.

– Salut, dit Simon en s'approchant.

– Yeah, Sim, s'écrie Pat, tête rasée et crâne de squelette tatoué sur la joue.

– Ça va? demande Stéphanie à Simon.

– Un gars fucké, c't'un gars fucké.

– Prends pas ça d'même... Qu'est-ce que t'as? demande-t-elle.

– Y est en manque, rigole Pat...

Al, long corps délicat, est étendu sur le dos à côté des autres. Il ne dit rien, lui. Il attend le bon moment. Pas d'entrée en matière. Il interviendra quand la conversation sera bien engagée. Pas de temps à perdre et trop sérieux.

Pat donne à Simon un sac de papier brun duquel dépasse le goulot d'une bouteille. En s'assoyant, Simon prend une bonne rasade, puis l'offre à Stéphanie, qui boit à petites gorgées.

– Tu devrais en parler à ta mère, a pourrait t'aider... Cent piastres, c'est pas la fin du monde pour elle, explique Ben.

– On est dans' marde, coupe Pat. Pis y a pas personne qui va nous aider à en sortir. On leur sert à rien. Le mieux qui peut nous arriver, c'est qu'y nous fassent crever le plus tôt possible. On s'rait ben débarrassé.

Le moment de s'en mêler est venu pour Al. C'est là que prend appui tout son monde intérieur. Son propre isolement. Alors, il se redresse.

– Pas d'accord, clame-t-il. Notre façon de vivre bousille le système. Il faut continuer. Parce qu'ils cherchent à nous récupérer et nous autres, on refuse. On les dérange. Rien qu'à voir au carré. On fait rien de mal... On fait rien pantoute. Mais on dérange. C'est notre présence qui gêne. On n'a pas le look qu'il faut pour les touristes. C'est une question d'image...

– C'correct, Al, reprend Pat. R'pars pas dans tes longs discours. Tu l'sais, y a rien qu'toi qui comprends...

– Moi, j'pense qu'y faut qu'on s'tienne, propose Stéphanie.

– R'garde le monde qui passe... R'garde-les comme y faut. Y veulent rien savoir de nous autres. Y osent même pas nous r'garder... Leur faire peur, c'est le seul pouvoir qu'on a.

En disant cela, Pat se lève et pousse un hurlement de loup. À la fin, il se sort la langue et l'agite vulgairement en s'adressant à n'importe qui, à tout le monde. Les bras dans les airs. Deux majeurs bien pointés. Simon ne le regarde pas. Simon n'en veut à personne. Simon ne veut pas se battre, ne veut pas comprendre. Simon veut chanter. Dans sa tête, la musique cherche un chemin, un espace à explorer.

– Oubliez ça, dit-il... Tu me prêtes ta guitare? demande-t-il à Ben.

Un accord. Puis un autre. Quelques notes isolées. Un temps d'arrêt. Ça monte à l'intérieur, mais ce n'est pas encore arrivé. Une chanson cherche une voix. Pat lance un nouvel appel au loup. Plus loin dans le parc-cimetière, un autre loup répond. Au-dessus du petit groupe, les feuilles des arbres bruissent dans un vent léger. Les oiseaux conversent. Un autre monde. Au-delà, tout autour, la ville se tourmente de tours à bureaux et de klaxons impatients. Un autre monde. Quelques passants se retournent, mais l'indifférence reprend vite sa place. Un autre monde. Quelques claquements d'ongles sur le bois verni de la guitare.

– *Y' a plus d'anges dans le ciel*
Que des oiseaux malades
Des nids dans les gratte-ciel
Ou dans les barricades
*Y' a plus d'anges dans le ciel**.

---

* « Y' a plus d'anges dans le ciel », *Le Fou du diable*, Dan Bigras, texte de Sylvie Massicotte, musique de Dan Bigras, Éditions de la Pauvre rime et Éditions de l'Ange animal.

Chapitre II

BRUNANTE RAFRAÎCHISSANTE des soirs de canicule. Rue Saint-Jean, les gens longent le mur de pierres qui protège le parc-cimetière. Des vélos sont attachés aux parcomètres et les autos se serrent pour tenter d'avancer, un peu plus vite, un peu plus loin. Une douce fébrilité. Pas encore l'impatience et la peur d'une nuit inutile. Pas encore le tonnerre des âmes qui se brisent sur leur propre solitude. L'orage viendra plus tard. Malgré la nuit, le temps est lourd. Les cœurs se perdent dans des pluies lancinantes.

Mais là, il est tôt. Les espoirs sont permis. Sur les bancs, les flâneurs regardent le spectacle. C'est le début de la soirée, les vêtements sont frais et les maquillages, refaits. Les corps sont fin prêts pour la nuit. Les cafés se vident au profit des bars. Les musiques s'alourdissent, les rythmes s'accélèrent. Les corps entreprennent leur quête. C'est la mutation du monde. C'est la nuit et son illusion. Sur le banc, Bernard attend son heure, qui ne saurait tarder. La brunante est son signal. Lui, son corps se retire avant la nuit. Depuis longtemps, son corps n'en cherche plus un autre.

À quelques pas du banc, en face de l'église-bibliothèque, Simon a placé sa veste de jean par terre et y a posé quelques pièces. Il chante. Il sérénade. Il se faufile dans cette ambiance préparatoire. Il appelle la nuit pour les passants. Il leur murmure des choses auxquelles eux rêvent déjà. Il les conforte, les rassure. Il tourne autour de sa veste et il tourne sur lui-même. Puis, il reste suspendu, sur la pointe des pieds, les bras levés bien haut et les doigts qui caressent l'invisible. Il regarde les gens. Il regarde leurs yeux. Il y plonge tout plein de tendresse. Il sait bien qu'à cette heure, les cœurs sont remplis de promesses nocturnes. Alors, il inonde les cœurs de paroles prometteuses. Aux amoureux, il suggère des mots doux. Aux solitudes, il confirme les espoirs. Puis il revient sur terre et tourne de nouveau. Il s'approche des gens et tend la main. Il remercie d'un signe de tête ou de tout le corps, sans cesser de chanter. Il lance la monnaie sur la veste et continue à tourner et à chanter.

– *Porte-moi comme tu voudras*
Habille-toi de moi

Comme un foulard
Autour du cou
Comme une écharpe
Sur tes épaules

Comme ça la nuit
Tu te replies sur moi
Si tu as peur du noir
Tu te caches en moi
Comme ça sous la pluie
Tu me serres contre toi

Habille-toi de moi

Simon est attendri. Il se réjouit lui-même et s'insinue en l'autre. Il se prend au jeu parce que c'est son jeu. C'est sa vie. C'est tout ce qu'il a. C'est tout. Les passants le regardent. Sans agressivité. Du moins ce soir. Parce que ce soir, il fait beau, que Simon est beau et que ce qu'il chante est beau. Simon caresse les âmes qui, sous le charme, s'ouvrent. Les âmes lui sourient. Les lèvres aussi. Il peut tout se permettre, glisser sa tête entre celles d'un couple, prendre la main d'une vieille dame ou fixer les yeux d'un homme seul dont le sexe est troublé. Il peut et il ose. Les sous tombent sur la veste. Au suivant, il ne demande qu'une cigarette, avec un air complice. Les fumeurs sont devenus complices de leur propre honte. Alors on lui en accorde une. Avec du feu.

Tout à son optimisme, Simon s'approche du banc et s'assoit près de Bernard, impassible.

– Tu vois ? C'est facile. Imagine un peu avec ma guitare ! Je pourrais en vivre… Au moins l'été. J'aurais une adresse, fait que j'aurais du B.S. Aujourd'hui, j'devrais être bon pour vingt piastres… C'est sûr que j'vas manger là-d'sus… Y faut que j'en mette de côté jusqu'à temps que j'aie cent piastres… cent piastres… Ça va être long…

Simon regarde le trottoir entre ses jambes. Devant lui des pieds défilent. De vieilles espadrilles, de petits souliers à talons hauts, des bottes de travail, des souliers chic, des pieds qui s'affirment, d'autres qui hésitent, des pieds qui s'en vont. Où aller? Simon n'a pas besoin de voir Bernard. Il n'a pas besoin de parler directement à Bernard. Bernard est le seul à pouvoir le suivre. Les autres passent et s'en vont quelque part ou nulle part. Bernard, lui, reste. D'ailleurs, Bernard ne regarde pas Simon. Il regarde quelque part, juste un peu au-delà des choses. Parfois il suit un mouvement de corps dans les passants, parfois son regard s'accroche à une voiture et la suit jusqu'à la perdre, jusqu'à se perdre. Il se penche, s'étire le cou et la suit de ses yeux creux. Mais il ne s'agite pas. Ou si peu. Sauf peut-être si quelqu'un lui parle. Sa tête cherche alors, en petits mouvements secs, sa place sur ses épaules. Même en été, Bernard se cache sous son vieux manteau, dans les poches duquel il garde ses mains osseuses. Pourtant, quand Simon lui parle, il ne s'énerve pas. Il l'accepte. Pas au début, mais il s'est vite adapté. Simon est sans risque.

– Bon, j'vas y aller. J'ai que'ques affaires à régler.

Simon se lève puis, son argent dans les poches et sa veste au bout du bras, il s'en va, et toute sa vie avec lui. Tombe la nuit.

– Je fuis ma vie par en avant
Je reviendrai soleil levant

Rue Saint-Jean, Simon marche en chantant dans sa tête. Là, le monde naît en chansons. Et ses pas suivent le rythme. Tombe la nuit. Les rythmes changent. Dans les regards qu'il croise, il entend des rocks endiablés, des ballades nostalgiques ou des raps monocordes. Il entend les musiques qui trottent dans les têtes et qui s'échappent pour lui seul. Il imagine la musique préférée de chacun. Il mêle les musiques et les mots, puis recrée des mondes. Il en chante des connus. Il en invente des inconnus. À la mesure de ceux qui les portent sur leurs épaules. Et il marche dans ce monde, la nuit tombée.

Arrivé au carré D'Youville, Simon s'approche de la troupe de jeunes décolorés, recolorés, décorés de la guerre tranquille qu'ils mènent contre un ordre qui leur est étranger. Des cheveux longs, des cheveux courts, des sans-cheveux, des cheveux dressés au centre de la tête, des queues-de-cheval couronnant des têtes rasées, des cheveux verts ou rouges, bleus ou orange. Des vestes de cuir, des vestes d'armée, des bottes et des chaînes. Mais aussi des t-shirts déchirés qui laissent voir des cicatrices sur les bras. Certains ont déjà perdu leur guerre et ils traînent leurs yeux hagards dans des corps qui ne savent plus s'ils avancent ou reculent. Ils prennent tout ce qu'ils trouvent pour fuir le monde. Ils ont laissé leur identité avec les papiers qu'ils ont perdus ou jetés. D'autres sont moins loin. Peuvent encore parler. Se faire comprendre. Simon salue quelques têtes. On se tape dans les mains, bien haut. On se reconnaît. Vient un type à la tête rasée avec un rat mauve sur l'épaule.

– Besoin de que'qu'chose?

– Ç s'pourrait, répond Simon.

– Viens par là…

L'affaire est vite conclue. L'argent, vite dépensé. Ils reviennent vers le groupe et se quittent aussitôt. Le revendeur cherche au loin si quelqu'un vient, un client ou une cible. Simon cherche autour si quelqu'un… Ses yeux grimpent l'escalier du palais, Montcalm de son nom. De son nom de vaincu. Dans sa tête, la foule, sur la scène, le *follow spot* qui l'accroche au détour du rideau et le suit jusqu'au micro. Une foule qui s'excite. Mais autour, rien. Pas d'autres musiciens. Un micro silencieux. Une foule qui s'énerve. Et Simon, sans voix, sans musique et sans mots. Silence. Sauf dans son ventre.

– *Qu'éclats de verre et désarroi*

Simon détourne le regard, il se détourne. Enfouit les mains dans les poches de sa veste de jean. La main se crispe sur le sac. Les dents serrées. Le ventre dur. La nuit tombée. Les lumières et les klaxons. Ceux qui cherchent l'évasion, ceux qui cherchent l'amour et même ceux qui ne cherchent plus. Tout le monde est arrivé. La nuit peut commencer et Simon s'y glisse sans savoir. Tombée, la nuit.

Il tourne autour des autres jeunes, mais ne s'accroche à aucune parole. Ses mots à lui sont étouffés au fond de son ventre. Rien à dire que des saluts vite oubliés. Se faire oublier. Disparaître. Mais personne ne s'occupe de lui. Une sorte d'inexistence. On oublie seulement ceux qu'on aime. Les autres, on n'y pense même pas.

Marie, elle, pense aux autres. À un autre, Simon. Elle s'amène au carré, repère Simon de loin. Elle l'aime bien. Elle s'approche par derrière, pose sa tête hirsute sur son épaule et l'embrasse dans le cou.

– Salut toi, répond-il en souriant. Marie lui décroche un sourire. Elle l'aime bien, il le sait.

– Ça va ?

– Yeah !

– Oh la la ! La grande forme, quoi !

Simon fait les grands yeux, lance la tête en arrière pour repousser ses cheveux. Content de sortir du cauchemar.

– J'ai chanté cet après-midi.

– En face d'l'église ?

– Non, d'la bibliothèque.

– Niaiseux !

– Quoi !

– On va s'promener ?

– Si tu veux… Où on va ?

– N'importe où, on part d'ici.

– OK.

Marie prend Simon par la taille et l'embrasse sur la joue. Il la regarde et sourit, tandis qu'une autre fille s'approche d'eux. De Marie surtout. Elle lui saute au cou et l'embrasse sur la bouche.

– Marie… Chus donc contente de t'voir ! On s'fait un p'tit que'qu'chose à soir ?

– J'sais pas, on verra…

– Pis toi, t'es qui ? demande la fille en prenant Simon par le cou. T'es pas mal, t'sais !

Simon est mal à l'aise. Il tente de se retirer, mais la fille le retient.

– Ben quoi ! Chus sûre que Marie a s'en fout. On pourrait s'trouver un coin que'qu'minutes, toi pis moi !

– J'pense pas, moi, tranche Simon en saisissant les deux poignets de la fille et en l'éloignant brusquement.

– Ah ben ! Comme tu veux. Tant pis pour toi… T'aurais p't-être intérêt à fumer une pof. Ça t'relaxerait.

– Écoute, Cathy, tente de couper Marie.

– Pis toi, tu t'en vas avec lui, là ? C'est ça ? J'pensais qu'tu v'nais triper avec nous autres à soir.

– J'ai rien décidé. Ça arrive de même…

– Ben, bonne soirée les p'tits amis… j'ai une autre chatte à fouetter, moi…

Cathy se retourne et se dirige vers un autre type, un autre égaré. Marie regarde Simon à nouveau.

– Ça va ?

– Arrête de me d'mander ça tout l'temps ! Ben oui, ça va. Chus pas en peine pis chus capable de m'organiser avec c'qui va pas.

– Ben sûr, Simon.

– Occupe-toi pas d'moi, OK ?

– OK… On y va ?

– J'vas juste dire que'qu'chose à un gars, pis on y va.

Simon va voir une tête rasée, en bedaine et pantalon trop grand qui tombe plus bas que le caleçon coloré. Marie le suit des yeux, puis se force à regarder ailleurs. Elle s'approche d'un banc où d'autres jeunes sont assis sur le dossier, les pieds sur le siège. Elle tente d'écouter la conversation, tout en jetant un regard furtif vers Simon. Lorsqu'il revient, elle quitte le groupe sans saluer et rejoint Simon sur la terrasse du carré. Puis ils s'éloignent ensemble vers la porte Saint-Jean.

– C'est qui, lui, demande-t-elle ? Ça fait plusieurs fois que je l'vois, mais j'y ai jamais parlé.

– C't'un gars…

– Ah oui ? Bonne nouvelle !

– C't'un gars qui vient d'la Beauce. Ça fait pas longtemps qu'y est à Québec.

– Pis tu l'connais ?

– Comme ça… C'pas grave *anyway*.

Simon et Marie entrent dans le parc de l'Artillerie et se trouvent un banc tranquille. Simon sort son pot et roule un joint. Marie sort son tabac et roule deux cigarettes. Marie s'assoit une jambe repliée sur le banc et se penche vers Simon.

– J'aime ça être avec toi.

Simon se contente de sourire et allume le joint. Il en fume quelques bonnes bouffées, puis le passe à Marie.

– Merci, mon ami, répond-elle.

– C'est ça…

– Oui, allô !… C'est ça, quoi ?

– C'est ça… J'ai chanté pis j'ai fait quinze piastres.

– C'est bon en crime !

– Ouais, mais y m'reste pus rien… C'pas d'même que j'vas ravoir ma guitare.

– T'as acheté ça à'place?

– Ben, faut ben avoir de quoi dans'vie!

– Ouais…

– Y faudrait que j'chante plus pour gagner plus, mais ça irait tellement mieux avec ma guit.

– J'aime ça quand tu chantes.

Mais ce soir, Simon ne chante pas. Sa voix est restée au palais Montcalm. Des gens passent, les regardent, indifférents. La nuit est tombée. Les cœurs se laissent aller.

– Y va faire beau à soir. On descend-tu en d'sous d'l'autoroute?

– On peut ben…

♫

Rue Saint-Jean, sur le banc, Bernard n'est plus. La nuit est tombée. La noirceur venue, Bernard rentre chez lui. Sa noirceur est intérieure. Il se contente d'une petite lampe sur la table où gisent, pêle-mêle, divers objets hétéroclites. Parmi la vaisselle sale et quelques circulaires, une lettre cachetée, jamais ouverte, un pot de pilules et une carte professionnelle tachée et cornée. Une carte de psy. Bernard tourne en rond dans sa chambre. Il déplace des objets pour les laisser traîner ailleurs. Il suit un chemin hors du monde. Une logique étrangère. Si un cri monte de la rue, il se replie sur lui-même, agite la tête. Alors, il éteint et s'étend. Il entend et s'éteint. Il attend que la nuit passe. Il dort par à-coups. Tombée, la nuit.

♫

Par la côte de la Potasse, on saute le mur, on le longe quelques mètres, puis on descend sous l'autoroute inachevée. Une route qui ne mène nulle part. Un rêve enfoui dans le roc. Un tunnel au bout duquel on a oublié la lumière et, sur les murs, des graffitis. D'immenses graffitis de révolte et d'amour. Deux côtés de la médaille. Comme le feu et l'eau. Et sur le sol, des bouteilles cassées, des bouchons, des papiers et des mégots. À travers ce cimetière incarné, quelques herbes et arbustes dégarnis qui rappellent que dans la mort, la vie prend racine. Ou l'inverse. Ça dépend des états d'âme.

Sous l'autoroute, dans un recoin, un rebord de ciment. Simon y passe la main pour retirer quelques cailloux, puis y grimpe. Marie le rejoint et ils s'adossent au mur humide. Devant eux, la basse-ville et ses lumières. D'immenses colonnes de béton qui soutiennent le temple de l'automobile. Des colonnes de graffitis anarchistes, d'autres qu'on a récupérées en fresques modernes.

Au pied de la falaise, un jardin. Un jardin communautaire. Un jardin de légumes et de sculptures, de fer et de bois. Jardin de pauvres. Un îlot. L'Îlot Fleurie. Mais pas à cause des fleurs. À cause de la rue Fleurie. Et la rue Fleurie, ce n'est pas à cause des fleurs non plus. Pour une dame. Une inconnue illustre. Mauvais jeu de mots. Un terre-plein plein de terre. À côté d'un stationnement. Ce n'est pas un îlot. Plutôt un rocher. Un cœur de pierres où poussent quelques fleurs. Avant, le jardin occupait un terrain vague près du Jardin Saint-Roch, à l'autre bout de la rue Fleurie. On l'a déplacé pour construire des condos. Condos de riches à la place du jardin des pauvres. À côté du Jardin Saint-Roch. Celui-ci de fleurs et de fontaines. L'Îlot, c'est un jardin vague. Ressac du pouvoir. De l'argent. On l'a chassé. Au pied des colonnes du temple.

Puis, derrière les colonnes à fresques, ou autour, un stationnement, un terrain qui sert de stationnement le jour, de terrain vague la nuit. Où se passent des choses vagues. Dans le vague de la nuit.

Au-dessus de Simon et de Marie, l'autoroute des rêves de laquelle pend une corde où s'alignent des nœuds. Un autre accès à l'abri. Ou pour la fuite. Ou pour rien. Personne d'autre n'est encore là, ce soir. La nuit est tombée, mais les oiseaux de nuit attendent qu'elle se relève pour aller aux abris. Ils vivent leurs rêves éveillés, le plus tard possible. Le plus loin possible. Mais les premières lueurs les montrent tels qu'ils sont, et ils fuient aux abris.

Dans la basse-ville, une sirène se fait entendre. Dans le ciel, pas d'étoiles filantes, que des étoiles presque éteintes. Pas de vœux pour ce soir. Simon roule un joint et l'allume. Voilà pour le rêve.

– J'aimerais ça qu'tu me parles de toi, Simon, lui demande Marie en fumant.

– OK... Y a une chose à savoir, j'ai besoin d'ma guitare.

– Ça je l'sais… Mais j'sais même pas d'où tu viens.

– Moi, Marie, j'm'intéresse pas au passé. C'est pas important d'où j'viens pis où j'vas.

– Ça t'intéresse pas de savoir d'où j'viens, moi?

– Ben, ça m'dérange pas. Si tu veux m'en parler, tu peux, mais j'en ai pas besoin. Moi, j'parle pas ben ben d'mes affaires.

– C'est beau la ville.

– Ouais. Dans l'temps des feux d'artifice, y paraît qu'on peut les voir si on grimpe en haut.

– Ça doit être pas pire… T'aimes ça les feux d'artifice?

– Des fois. Quand y en a des spéciaux. J'aime surtout le son. Ça pète. Des fois, ça fait des boums ben sourds. C'est mes préférés.

– Mon père, y en achetait durant les vacances.

– Y est où ton père?

– Lac-Beauport. Avec ma mère pis ma p'tite sœur.

– Pis toi?

– J'reste pus avec eux autres.

– Les vois-tu souvent?

– J'y vas des fois… J'passe une nuit pis je r'pars. Chus pas capable.

– Ça fait au moins une nuit dans un bon lit. Pis j'imagine que tu peux manger… Ta mère, a cuisine-tu bien?

– Mon père… Chez nous, c'est surtout mon père qui fait la bouffe. C't'un homme rose. On est allé en Afrique deux ans. J'avais dix ans. J'ai toute perdu mes amies, mais ça, y s'en sacrait. Lui, y avait un contrat là-bas, pis y a fallu qu'on suive. Y ont offert une job de prof à ma mère. Pis moi, j'allais à l'école.

– Tout un voyage!

– Oui, mais j'en ai pas vraiment profité parce que j'l'avais pas choisi pis que j'm'ennuyais. C'était trop différent d'un coup sec pour une p'tite fille.

– Pis là?

– Ben, quand on est r'venus, chus r'tournée à l'école ici. Je connaissais personne parce qu'avant, on était à Sainte-Foy. J'me suis jamais sentie acceptée. J'étais rendue trop différente. Chus pus capable d'endurer les mentalités de banlieue. Tout l'monde pareil. Les gens sont pleins de préjugés. Y gobent n'importe quoi. Y posent pas d'question. Plus ça allait, plus j'haïssais tout l'monde.

– Y t'aiment-tu, tes parents ?

– Oui, y m'aiment. Aujourd'hui, je l'sais. Y a deux ans, j'pensais qu'non. Y font leur possible, mais ça marche pas. Y sont pognés dans leur p'tite vie. Y font d'l'argent, pis y l'dépensent. J'vois pas l'bonheur là-d'dans. Fait que j'ai fugué. J'ai pris d'la dope pas mal. J'me t'nais au carré.

– T'es encore de même...

– Pas vraiment. J'traîne encore, mais j'ai diminué pas mal la dope. J'aimerais ça faire que'qu'chose. J'veux m'organiser. T'as quel âge, toi, Simon ?

– Dix-huit.

Simon s'avance vers la falaise. Il s'arrête au bord. Tout au bord. Du pied, il pousse une canette qu'il écoute dégringoler. Avalée par la nuit. Au fond d'un gouffre. Trou noir. Pleine nuit.

– *Avec les doigts pour la modeler*
Avec les poings pour la frapper
C't'avec les mains qu'on fait sa vie

Marie s'approche et prend Simon par le bras. Elle pousse un caillou dans le vide. Ils écoutent les rebonds. Pleine nuit.

– Où t'as appris à chanter ?

– J'sais pas. J'ai toujours su... Ben, j'ai toujours chanté.

– Tes parents, y chantaient-tu ?

– Ma mère, un peu. Mais son père y jouait dans un orchestre. Y faisait les hôtels de campagne.

– Chus sûre que tu vas y arriver. T'as le talent pis la volonté.

– Mais pas l'argent...

– D'l'argent, ça s'trouve. Tu vas voir. Cent piastres pour partir, c'est pas la fin du monde.

Simon se dégage et s'éloigne. Il tourne autour, la tête dans les épaules. L'âme qui fait mal au fond du ventre. Du bout des pieds, il repousse les objets, les déchets. Il donne de petits coups dans la terre morte et le gravier. Il tourne. Pleine nuit. Lentement, il retourne se percher sur le rebord de ciment.

Marie vient le rejoindre et se colle sur lui, la tête sur son épaule. Pleine nuit. Ils s'enfoncent. Dans la chaleur de la nuit, ils s'endorment. Ponctuée de cris de sirènes et du bruit sourd des voitures sur l'autoroute haut perchée, la nuit pleine glisse doucement vers l'aube urbaine où les lumières de la ville se dissolvent avant de s'éteindre, où les étoiles s'éteignent avant de partir.

Simon et Marie sautent de leur nid. Tout en bas de la falaise, un passant isolé marche dans la petite rue. Des gens travaillent, d'autres pas. Des gens ont des choses à faire, d'autres pas.

– On y va? demande Simon.

– Où?

– J'sais pas.

– OK.

Ils grimpent le long du mur aux graffitis. Ils sautent le mur et montent vers la rue Saint-Jean. Il est tôt. Les quelques passants marchent tête baissée, encore à leurs rêves. Simon et Marie les observent. Pas envie de quêter. Lequel choisir? Il faudrait que ça marche du premier coup. Simon passe les mains sur son visage et repousse ses cheveux à l'arrière, se servant de ses doigts comme d'un peigne. Tentative de se donner un look, une allure. Alors, il se décide.

– Pardon monsieur, vous n'auriez pas un peu d'argent... pour manger?

– Tu ris-tu d'moi, toi, crisse? Demande-moi trente sous pour appeler ta mère malade, tant qu'à faire!

– Merci quand même.

Simon revient vers Marie, rage au cœur. Marie lui passe la main dans les cheveux, le prend par le cou et l'attire à elle. Elle l'embrasse doucement sur la bouche.

– Laisse-moi faire!

Une dame s'en vient et Marie la regarde, tête inclinée. Elle jette un coup d'œil à Simon, puis s'avance à la rencontre de la femme.

– Bonjour madame, dit-elle en souriant.

– ...

– Vous allez bien?

– Oui, répond la dame en s'arrêtant.

– J'vous conterai pas d'histoire, madame. On n'est pas d'Québec, mais on est ici pour un p'tit bout d'temps. Pis là on a dormi dehors pis on n'a pas d'argent pour manger. Vous pourriez pas nous aider un peu?

– Vous venez d'où? demande la dame en ouvrant sa sacoche.

– De Montréal, répond Marie en prenant l'argent. Merci beaucoup madame.

On coupe au plus court. Pas de courtoisie, ce matin. Pas de fioritures. Gueule de bois, gueule de béton. Faire sa job et collecter. Quelques minutes plus tard, quelques clients plus tard, Simon et Marie ont amassé de quoi manger un beigne. Voilà la vie. Une autre journée. Plein jour. Le soleil encore. La chaleur encore. Les sans-abri n'auront pas besoin d'abri. La canicule se charge d'eux. Simon aurait préféré la pluie aujourd'hui. Pour pouvoir pleurer en cachette. Sous la pluie, les larmes se confondent. Marie préfère le soleil. Le soleil sèche les larmes.

Simon et Marie ont repris leur marche rue Saint-Jean. La ville s'est activée. La vie s'est animée. Les gens s'occupent. Certains travaillent, d'autres consomment. Les touristes commencent tôt à arpenter le quartier, à l'affût de photos comme toutes les autres, le plus près possible des brochures invitantes, à la recherche de souvenirs *made in...*

– On va-tu chez *Mélomane*? demande Simon.

– Non, faut que j'm'en aille, moi.

– Tu vas chez vous ?

– C'est où « chez nous » ?

– Chez tes parents ?

– Non, pas aujourd'hui. Y faut que j'aille voir une fille. À va m'montrer à faire des bracelets pis des colliers avec d'la corde pis des p'tites billes... On sait jamais, des fois qu'j'en vendrais.

– Bon, ben, c'est ça, d'abord.

Marie prend Simon par le cou et l'embrasse de nouveau. Vivement, elle se retourne et part en courant. Pas d'adieu. Pas d'au revoir. Pas de rendez-vous. Pas de promesse.

Simon poursuit sa route et, dans sa tête, la musique reprend toute la place. Confuses, les chansons s'entrecroisent d'un air à l'autre, d'une phrase à l'autre. C'est dans ce labyrinthe de sons et de mots que Simon se retrouve. Les chansons se placent d'elles-mêmes. Elles trouvent le chemin jusqu'à lui. Il n'a qu'à se laisser faire. Disponible. Elles s'imposent tranquillement au rythme de Simon.

Chez *Mélomane*, Simon s'approche des lecteurs CD. Il regarde les disques sur la tablette. Il cherche, il choisit. Écouteurs sur la tête, il se retire en dedans.

– C'est l'histoire d'un chapeau volé à la foire
Aux hasards

À l'heure où les bagues d'ivoire se perdent
Dans le noir

On raconte que lorsqu'il vous choisit
Dans le creux de l'oreille il vous dit :

Sous le soleil touche du bois
*Le ciel veille sur toi**.

---

* « Touche du bois », *Ciné-parc*, Ann Victor, texte de Manuel Laroche, musique de Martin L'Heureux, Productions et Éditions Fakir.

Chapitre III

Canicule. Le mot lui-même est chaud. Et lourd. Bernard ne s'en rend pas compte. Il porte toujours son vieux trench beige. Il a toujours les mains dans les poches. Ses cheveux courts et gras. Sa peau creusée de froids et de pluies. C'est le jour, il peut sortir. Il se promène dans le monde mais ne le fréquente pas. Il est ailleurs. Et là, il est seul et calme.

Soleil. Soleil d'été. Soleil de plomb. Canicule et sueurs. Brûlure des peaux au soleil. Brûlure des pieds sur l'asphalte. Brûlure des âmes incendiées. Malgré tout, Bernard, sous son manteau fatigué, marche vers le Jardin Saint-Roch. Un jardin et une fontaine. Au cœur du quartier Saint-Roch. Au cœur de la pauvreté. La résultante des migrations urbaines est l'errance des pauvres. Quelques fleurs aujourd'hui pour leur tombe de demain, pour la place au cimetière qu'ils n'auront jamais.

Pour Bernard, chemin mille fois emprunté. Dans le bruissement de la fontaine, il suit les allées de fleurs bien alignées, bien ordonnées par couleurs. Dans sa tête, c'est le désordre. Ou peut-être un autre ordre. Qu'il ne comprend pas. Ou qu'il a cessé de chercher à comprendre. Qui, de toute façon, ne va pas avec l'ordre établi. Alors, il a cessé d'en faire un plat. Il a oublié. S'est oublié et s'en est allé. Il a cessé d'admirer les arrangements floraux et de tenir compte des maîtres de l'ordre.

Près de la fontaine, mais à l'écart quand même, il pose son corps mal vieilli sur un muret de béton. Toujours là. Au même endroit. Une grande respiration avant de monter en haute-ville. Le corps se connaît. Inconsciemment. Par instinct. Et par habitude. Au fil des ans, il s'est ménagé des haltes, des temps de repos. Et Bernard le laisse faire. Il le sait capable d'assumer seul ses responsabilités. Il connaît son instinct de survie. Quand le corps se repose, Bernard attend. En fait, il ne s'en rend plus vraiment compte. Avec le temps, il a oublié ces détails. Il fixe le sol et, à l'occasion, il marmonne : « Pis *so what!* »

Au bord de la fontaine, les gens se reposent. Ils oublient un peu le jour d'avant. Le soir d'avant surtout. Des journées pour oublier des nuits à tuer. Des nuits tuées.

Le roulement de la fontaine est bruyant. Il enveloppe tout. Il isole. Isole les solitudes. Les gens font le calme. La fontaine est un mantra collectif. Les âmes se détendent.

Une jeune femme, assise sur les marches de la fontaine, laisse glisser une jupe longue sur une jambe fine. À l'occasion, ses yeux clairs quittent un livre d'études harassantes pour une enfant qui joue seule dans l'eau de la fontaine. Elles se sourient. C'est la vie.

Du haut des marches, avec un chien en laisse, un chien immense, un homme regarde tout autour. Bien mis de sa personne, fier de son statut illusoire, il veut surtout voir qu'on le voit. Il se sourit à lui-même. Mais son chien ne rit pas. C'est la vie.

Tout au fond, près du mur des toilettes, par terre, une dame est assise, seule et triste, hors du monde, elle aussi. Échevelée aux yeux vagues, elle a plus que son âge. Elle ne rit pas. C'est la vie.

Les pieds dans l'eau de la fontaine, un garçon prend une fille par le cou et l'embrasse. Les pieds dans l'eau de la fontaine, elle le prend par le cou et l'embrasse. Ils s'aiment. C'est la vie.

Et au cœur du bassin, ne se souciant pas de la vie qui dessine des lignes dans le creux des mains, deux enfants se lancent des trombes d'eau comme des ballons, comme des étincelles, comme des rires. Ils jouent à vivre. C'est la vie.

Après s'être reposé, Bernard prend l'escalier, tout près de la chute. Il en a senti la fraîcheur. Son corps l'a sentie. À travers son manteau. Son âme aime l'eau. Son âme baigne constamment. C'est son corps qui n'a pas suivi les mouvements de son âme. Son corps n'a pas pu muter, lui. Il est resté coincé dans l'autre monde. Comme une trace indélébile d'une autre existence, passée. Il fallait bien qu'un des deux garde le contact avec le monde ordinaire. Le corps était mieux adapté que l'âme. Alors c'est lui qui est resté. Pour un temps. L'âme s'est installée ailleurs.

Pour monter en haute-ville, il ne prend pas l'ascenseur. L'ascenseur, c'est encore plus petit que la chambre. Bernard n'est jamais assuré d'être seul. Même la porte du casse-croûte qui donne accès à l'ascenseur est trop étroite. Et lorsqu'il y a quelqu'un sur un tabouret devant le comptoir, on risque le frôlement. La cabine est si petite. Et arrivé en haut, on est encore coincé dans un hall où des gens attendent. Le contact physique est inévitable. C'en est trop pour Bernard. Au début, il a essayé. C'était avant que son corps soit sûr de lui. Avant qu'il puisse le laisser à lui-même. Mais pour l'ascenseur, le corps n'y arrivait pas. Il avait toujours besoin de l'âme pour minimiser les contacts. Bernard s'est fait à l'idée. Il a cessé de lutter et a proposé au corps un autre chemin.

En fait, il ne traverse pas la côte d'Abraham à cet endroit. Il longe des édifices qu'il ne voit pas et croise des gens qu'il ne sent pas. Il ne sait pas où il est vraiment. Son corps connaît cette route depuis longtemps. Elle appartient au même monde que le corps. Ils se sont habitués l'un à l'autre et, maintenant, ils laissent l'âme en paix, le corps et la route. Ils ne causent aucun trouble puisqu'ils se suivent en silence.

Lorsque Bernard veut traverser pour prendre la côte Sainte-Geneviève, il se fait klaxonner. Il a choisi le trajet qui réduit les problèmes de circulation le plus possible, mais il reste quelques feux. Quelques coins où la circulation prend feu. Où les corps de tôle trépignent au bout des membres des humains qu'ils dirigent. Des voitures impatientes qui respectent tout juste les signaux. Des feux qui changent de couleur, qui veulent dire quelque chose. Quelque chose que l'âme de Bernard n'a pas à connaître. Le corps s'en occupe. Vert, avance, jaune, arrête, rouge, attend. Ou bien main orange, attend, bonhomme blanc, marche. Et puis, des fois, un petit son strident pour ceux que la vue a quittés. Il doit bien traverser le boulevard Charest et, plus loin, la côte d'Abraham. Mais il le fait depuis si longtemps qu'au fond, les automobilistes devraient le reconnaître. Il fait partie du paysage. De toute façon, c'est à son corps de s'occuper de ces choses. Lui, il est ailleurs. Où il est, il n'y a pas de circulation. Il est seul.

À cause des klaxons, son tic le reprend. La tête se met à bouger par petits coups secs. Le cou s'étire et la tête tourne sur elle-même en penchant. Elle cherche sa position. Le cou est trop raide et la tête ne tient pas bien. Bernard la replace. Mais le corps ne ralentit même pas. Ne cherche pas le bruit extérieur. Il se contente d'avancer et, après quelques soupirs, il commence l'ascension de la côte Sainte-Geneviève jusqu'à la rue Saint-Jean. Le calme est revenu. L'âme n'a fait qu'une courte apparition dans le monde pour donner un coup de main au corps qui fait son possible, mais qui est si vieilli.

C'est le banc de Bernard. C'est ce banc qu'il cherche à atteindre. C'est le sommet de sa montagne, l'objet de sa quête quotidienne. Tous les jours, il y vient. Seulement, quelquefois, quand la pluie pénètre son trench et que l'eau monte dans ses souliers, il s'en retourne chez lui. Errer dans sa chambre en faisant des pas sur les mêmes pas. Autrement, tous les jours, il vient s'asseoir ici, sur le banc de bois verni sur fer décoratif. Devant l'église-bibliothèque et le parc-cimetière.

Sur le banc, attaché au béton du trottoir par de solides crochets, quelqu'un a écrit *argent ou émotion??????*, avec un gros crayon feutre. Mais Bernard n'a jamais vraiment remarqué. Il connaît si peu l'un et l'autre. C'est Simon qui le lui a dit, mais il n'a pas répondu, pas même réagi. Simon, lui, veut les deux. Bernard, ni l'un ni l'autre. Il se contente du banc.

Il s'y assoit et attend. Il ne demande rien aux passants. Regards réprobateurs, accusateurs ou de pitié. Il ne les voit pas. Il ne se préoccupe de personne. Pas même de lui-même. Il ne mange que par besoin, le soir, lorsque, après la brunante, il a réintégré sa chambre. Il mange peu et ne cuisine jamais. Il n'avale que des trucs prêts à manger. Le jour, au soleil, il ne mange pas. Il attend que le jour passe. Pour retourner chez lui. Après, il attend encore. Que la nuit passe. Pour ressortir. Pour retourner sur le banc, attendre que le jour passe. Il tourne. La vie de son corps s'écoule. Lui, il se contente d'être et d'attendre de ne plus être. Il ne veut pas se battre. Il n'était pas fait pour la lutte. Très tôt, il s'est retiré. Très tôt, il a choisi sa solitude. Il s'est arrangé avec. L'âme a donné quelques consignes à son corps, question de survie, puis elle l'a laissé faire. Elle n'a plus qu'un mince lien avec lui, maintenant. C'est ce nerf dans le cou qui claque tout seul lorsque l'âme, au fond de lui, est dérangée. Lorsque le corps est mal pris, a besoin d'aide, et que Bernard a peur. Il n'aime pas ça. Mais il a appris à vivre avec ça aussi. Ça fait si longtemps.

Bernard est assis sur le banc et il a enlevé ses vieux souliers qui n'ont plus de lacets depuis longtemps. Il a retiré les mains de ses poches et les a posées sur ses cuisses. Une peau gercée sur un tissu usé. Le plus souvent, il regarde le trottoir à ses pieds. Mais quelquefois, il suit les passants. Sans les voir. Il suit des mouvements. Des mouvements à l'intérieur.

Simon arrive près de lui, mais Bernard ne manifeste rien. Ni surprise, ni crainte. Ça fait partie des choses qui se déroulent dans l'autre monde. Celui qu'il a laissé à son corps. Et puis Simon n'est pas une menace.

Le soleil plombe toujours et, au-dessus du parc-cimetière, le feuillage des arbres scintille à cause de la brise. C'est une journée ordinaire. Comme les autres. Les gens circulent. Les gens s'occupent. Les gens passent le temps. Pendant que le temps passe. Un homme passe avec son chien. Le chien vient sentir Bernard. Entre les jambes. Bernard sert les cuisses. Sans regarder. Mais, comme toujours, sa tête s'énerve sur ses épaules. Le nerf lui tire le cou. Ses cheveux ébouriffés et son visage sale s'inclinent vers le sol et ses mains disparaissent dans les poches de son trench. Tout près, Simon observe la scène. Il s'approche du chien en jetant un regard à l'homme au bout de la laisse.

– Viens, mon beau chien, lui dit-il en lui prenant la tête. C'est mon ami et il faut le laisser se reposer. Il est fatigué.

Alors, l'homme tire d'un coup sec sur la laisse et le chien se laisse tirer. Il dérive lui aussi, mais au gré de son maître.

– Y est beau votre chien, dit Simon à l'homme en laisse.

Mais l'homme ne répond pas, ne sourit pas. Il s'en va et le chien le suit en reniflant à gauche et à droite. Simon reste planté là à regarder Bernard. Monte en lui un bruit sourd. Des syllabes éphémères sur des rythmes marqués. Et il continue à regarder Bernard qui ne regarde rien. Simon se penche légèrement vers Bernard et, tendant le bras gauche sur un manche de guitare imaginaire, il commence à jouer en martelant les cordes de sa main droite.

– *Aujourd'hui la télévision est v'nue nous voir*
Pour constater l'état du désespoir
Une coup'e de sans-abri à la veille de Noël
Ça c'est un beau sujet pour le show des nouvelles…

J't'allé m'chauffer les fesses au bureau du B.S.
Ben on peut pas t'aider si t'as même pas d'adresse
Ça fait qu'j't'allé tchéquer un p'tit logement deux pièces
On peut pas t'le louer, t'as même pas d'B.S.

Aujourd'hui la télévision est v'nue nous voir
J'me sentais comme un rat dans un laboratoire

Y'a l'Armée du Salut pourquoi tu vis dans'rue?
J'ai dit ben passe-moé la puck
J'ai dit ben passe-moé la puck
*Ben passe-moé la puck pis j'vas en compter des buts**.

Et encore quelques accords bien mimés. En tournant sur lui-même. Guitare invisible et insonore. Sauf dans la tête de Simon. Lui, il entend tout le *band*. Quelquefois, il peut sentir la foule. Son excitation. Sa fébrilité.

– Qu'est-ce que tu penses de ça, schizo? Pas pire, hein? Imagine avec ma guit!

Simon s'arrête. Il regarde encore Bernard qui ne bouge plus. Il s'est calmé maintenant. Son corps ne le dérange plus et il est retourné à sa vie. Simon hausse les épaules en souriant et se détourne. Il s'écarte un peu puis accoste un passant, un homme accompli. Bien mis, mais tenue sport. Il a réussi et il a la sécurité d'emploi. À dix-sept heures, il ira à son centre d'entraînement, puis samedi, il soupera avec des amis et ils parleront de la qualité du vin et de l'ordre dans lequel les fromages doivent être mangés. Ils se raconteront les secrets de leurs enfants, sans honte. Ils approuveront la protection des espèces menacées et celle des forêts boréales. Ils parleront de leur projet de voyage et concluront sur les bienfaits de la retraite à cinquante ans.

Simon ne l'a pas choisi. C'est lui qui venait vers Simon.

– Un peu d'monnaie pour manger, s'il vous plaît?

Mais l'homme l'a vu venir. Jusqu'au dernier moment, il a souhaité que Simon se dirige vers quelqu'un d'autre, qu'il cherche ailleurs. L'homme est gêné. Il ne regarde pas Simon, tourne la tête vers les autos. Si quelque chose pouvait se produire, attirer son attention, réellement. Il ne ralentit pas mais sa démarche s'est raidie, imperceptiblement. Il fuit. Veut passer inaperçu. Il veut qu'on le voit passer dans la vie. Pas dans la rue. Il veut être vu des grands, pas des petits.

– Merci quand même, réplique Simon.

---

* « Passe-moé la puck », *Les Colocs*, Les Colocs, texte et musique d'André Fortin, L'Industrie musicale.

Simon pivote sur lui-même et salue très bas le passant qui fuit. Une dame bien portante enserrée dans une robe fleurie, cheveux frisés et visage poudré, s'avance dans sa direction. Elle sourit à la vie. Elle est confiante. Elle, elle regarde Simon. Et lui, il la vise directement.

– Bonjour madame ! Me donnez-vous un peu d'monnaie si j'vous chante une p'tite chanson ?

La dame s'arrête à côté de lui et, sans perdre son sourire, elle le sonde. Elle veut bien, au fond, se faire avoir, mais elle veut savoir qu'elle se fait avoir.

– Et qu'est-ce que tu chantes ?

– Toutes sortes de chansons, qu'est-ce que vous aimez ?

– Ginette Reno... Céline Dion... Mais je pense pas que ce soit ton genre.

– Non, j'les connais pas, c'est vrai. Mais je peux vous chanter que'qu'chose que vous allez aimer. Écoutez ben ça !

Simon recule de quelques pas. Il salue bien bas, encore. Il tend le bras droit vers la dame et s'immobilise en statue.

– Madame... pour vous !

Je rêvassais seul dans un parc
Sur un banc de bois
À Napoli, Napoli
Les pas de danse
Les corps à corps de gare
S'étaient endormis
*Sur Napoli... et alors...**

Alors Simon tourne sur lui-même. Un tour complet et il se met à taper dans ses mains, scandant le nouveau rythme qui l'emporte.

– *Papa était là*
Je dormais dans ses bras
Il était une fois...
Et parfois je chantais
Les mots que m'apprenait
Le regard de ma mère... Le soir

---

* « Napoli », *Ciné-parc*, Ann Victor, texte et musique de Martin L'Heureux, Productions et Éditions Fakir.

Faire le tour de la terre
Chercher au fond des mers
L'or qu'on découvre un jour... En soi
...
*Napoli, Napoli**.

Et Simon s'approche de la dame. Il en fait le tour et vient tendre la main, juste devant. Simon fait le beau, il cherche à attendrir et la dame joue le jeu. Elle aime aussi jouer le jeu. Elle sort un peu de son monde établi.

– J'aurais bien envie de te faire la morale, petit !

– J'm'en doute, mais vous savez, la morale, ça dépend d'où on s'place.

– Mais pour voir clair, des fois, il faut faire un effort.

La dame tend à Simon une pièce de deux dollars. Sa tête s'est mise à bouger. La négative. Sa tête dit non. Non, je ne devrais pas lui donner d'argent. Non, je ne te crois pas. Non, tu ne devrais pas quêter. Non. Non. Simon ne perd pas son sourire.

– C'était quoi ta chanson ?

– *Napoli*... C'est d'un groupe qui s'appelle Ann Victor, mais c'est pas le nom de la chanteuse. J'sais pas trop c'est quoi... Une histoire de p'tite fille pis de grand-père.

– Et t'as pris ça où ?

– J'sais pas... Partout... Au magasin, chez des amis... j'sais pas.

– Et t'as des amis ! Ils ne t'aident pas pour manger, ces amis-là ?

– Sont aussi pauvres que moi !

– Tu chantes bien, tu sais !

– Merci madame.

– Il va bien falloir que tu te prennes en mains, un jour !

– C'est une guitare qu'y m'faut...

– Mais il va falloir que tu te trouves un vrai métier.

La dame est gentille, malgré tout. Simon est de bonne humeur et deux piastres d'un coup, c'est bon. Alors, il jase. Il se laisse aller.

– Ouais ! Là, vous commencez à m'faire la morale pas mal, dit-il en riant.

---

* « Napoli », *Ciné-parc*, Ann Victor, texte et musique de Martin L'Heureux, Productions et Éditions Fakir.

– Je te brasserais ça, moi, un jeune comme toi. Il ne resterait pas longtemps à rien faire, c'est sûr.

– Avez-vous des enfants, vous?

– Un... Un gars... Mais il est loin... Bien... pas loin, mais...

– Vous l'voyez pas souvent?

– Bon, assez jasé, petit. J'ai autre chose à faire. Tu ferais bien de te dépêcher à faire autre chose dans la vie. Un jour, le plus grand bout est en arrière.

– Encore merci, madame. J'vas penser à ça.

La dame s'en va, mais son pas s'est alourdi. Quelque chose qui lui fait mal dans le ventre s'est réveillé et lui fait oublier qu'elle marche en plein soleil, que les oiseaux du parc-cimetière sont tout sauf morts, qu'un jeune garçon lui a chanté une chanson, qu'elle lui a donné deux dollars, qu'il était beau et jeune comme... Et qu'elle, son enfant... Où était-il passé, au fait?

Simon regarde autour de lui. C'est la rue. Chez lui. Et les gens circulent. Sauf Bernard. Lui, il est toujours assis sur son banc. Sur le banc. Qui est un peu le banc de Simon aussi.

– *So what*, marmonne Bernard.

– Encore en enfer, toi!

– ...

– Tu parles-tu des fois, toi? lui demande Simon à quelques centimètres du visage. Y doit ben y avoir que'qu'un, que'qu'part!

Mais la tête de Bernard s'est mise à bouger. Quelques soubresauts bien secs. Simon connaît Bernard. Il reconnaît la crise. La peur.

– Ça va, ça va, le rassure Simon. C'est correct. On est au boute du bonheur, y fait beau et chaud. Qu'est-ce qu'on pourrait ben d'mander d'autre? Allons, à l'ouvrage, travailleur de rue!

Simon se redresse en souriant et reprend le trottoir. Cherchant son prochain client. Cherchant la prochaine chanson. La laissant monter en lui. La sentir d'abord. Mais il faut quelquefois des chansons connues. Pour attirer l'attention. Les gens s'approchent. On peut enchaîner avec autre chose. Entendre la musique en dedans et chanter en dehors.

Un homme s'en vient et Simon fait semblant de ne pas le voir. Le laisser venir. Commencer à voix basse et augmenter le volume à mesure qu'il s'approche. Double effet. Puis se tourner et marcher dans sa direction. Puis tendre la main sans cesser de chanter.

L'homme a le regard dur. Son t-shirt laisse voir de gros bras prêts à passer à l'action. Ses lunettes fumées miroir le protègent des intrus. Il est ce qu'il est, sans question. Les autres n'ont qu'à s'en accommoder. Simon ne l'intéresse pas. C'est un raté, une quantité négligeable. Au mieux, on peut le laisser faire pourvu qu'il ne dérange pas. Pas dans ma cour, encore. Alors l'homme ne ralentit pas, il ne détourne pas la tête, ni les yeux derrière les miroirs. Simon n'existe pas. Tout simplement.

Simon se détourne. Ce n'est pas le refus qui le touche. C'est le dédain. Ne pas être humain. N'être personne. Comme les papiers qui traînent au bord du trottoir. Comme les sacs bruns d'où dépassent les goulots, au pied des bancs. Alors monte en lui le dégoût, monte la colère. Monte une musique électrique, rythmée mais sur une seule note, ou presque. Et des mots presque parlés. Le chant s'est tu, c'est un cri qui déboule, les paroles sont jetées pêle-mêle.

– *J'ai même pas commencé*
que c'est déjà fini
la question c'est que j'ai
mêm'pas de route à suivre
tu sais pour moi Bigras
j'ai même pas d'souvenir
que je pourrais frotter
j'ai même pas d'avenir
à regarder briller
pis j'ai pas même quelqu'un
qui pourrait me tuer

Alors la vraie question
c'est qu'est-ce que j'fous ici
à voir des vrais débiles
qui passent dans la vie
comme y passent dans la rue
sans jamais rien sentir
que leurs petits ulcères
que leurs petit'déprimes

Je sais déjà comment
un jour je vais mourir

alors dis-moi pourquoi
faudrait qu'j'attende encore
longtemps la fin du show
quand face au désespoir
je ne sais plus du tout
de quel côté du mur
je vais tomber tomber
tomber tomber tomber
tomber yeah!

Simon veut pleurer. Le monde le mérite. Songeur, Simon s'approche du banc où Bernard ne pleure pas sur le monde. Il l'a quitté, tout simplement. Il se repose dans l'absence. Bernard ne réagit pas lorsque Simon s'assoit. Bernard ne sait pas que Simon s'assoit. Puisque ça ne le dérange pas. Il ne sait du monde que ce qui le dérange. Avec Simon, il partage son banc, sans trouble.

– J'arrive à rien, explique Simon en regardant le trottoir où défilent des pas qui savent ou ne savent pas où ils vont. C'est pas mieux qu'au centre d'accueil... J'sais rien faire... J'ai rien appris. Chus même pas capable de trouver cent piastres... J'f'rais d'l'argent pis j'me louerais une chambre... J'aurais du B.S.... Peut-être une job...

La musique ne monte pas en lui. Le silence seulement. Lourd. Rien à faire. Plus envie de quêter. Quêter pour quoi? Pour se faire regarder de haut? Pour attirer la pitié?

– Bon... J'vas aller marcher... Y faut qu'j'bouge...

Simon se tourne vers Bernard, corps étranger cloué sur le banc.

– De toute façon, tu comprends rien pis tu t'en fous... C'est p't-être toi qui es le mieux!

Simon se lève et va se promener rue Saint-Jean. Toujours la rue Saint-Jean. Le long du mur de pierres du parc-cimetière. Le long des épiceries fines et des boutiques. Ses pas le conduisent. Sa démarche est intérieure. Il ne le sait pas, mais il est dirigé de l'intérieur. Il avance l'air hagard, mais la route est tracée.

Arrivé devant le prêteur, il s'arrête net. Le but est atteint. Il pose les deux mains sur la vitrine et regarde la guitare. Elle est là. Il n'en sort aucun son. Elle semble abandonnée. En attente.

– C't'à moi, se dit Simon. Pourvu que c'crisse-là la vende pas… Y faut que j'trouve d'l'argent!

Mais la guitare ne réagit pas à l'appel de Simon. Ses cordes ne vibrent pas. Rien ne résonne en elle. Elle attend, pétrifiée, que quelqu'un fasse revivre son âme. Et au fond de Simon, les vents contraires sifflent sans harmonie. Les notes ne viennent pas. Des sons qui disent le silence. Le vide. L'absence. L'absence de mots. Pas de mots qui se font écho. Des non-mots qui mouillent les yeux. La guitare est comme morte. Un sommeil de bois dormant, de cent ans. Profond. Elle est seule, tombée de haut. Tombée de la scène. Sans doigts pour la faire jouer, sans voix pour l'accompagner. Elle est à vendre. Elle va peut-être partir. Et Simon, incapable de la retenir.

Un bruit de verre cassé. Son cœur de verre qui se brise. Certains verres incassables éclatent en mille miettes plutôt qu'en morceaux. Éclatement. Comme une grande vitrine qui s'écrase en miettes. Qui vole en éclats au visage de Simon. Des millions de particules de verre qui perforent son corps. Tout son corps ensanglanté. Cœur de verre éclaté.

Il renifle. Il repousse à l'intérieur les émotions qui n'auraient pas dû sortir. Il regarde autour de lui, fait quelques pas et essuie ses yeux mouillés. Il se penche en avant, bien bas, puis secoue la tête. Les cheveux balaient l'air autour. Il se redresse d'un seul coup. Il passe ses mains sur son visage et prolonge le mouvement pour ramasser ses cheveux. Il respire à fond. Nouveau visage, nouvel essai. Alors, en lui, revient le calme. La crise est surmontée. Il se répète qu'il finira bien par s'endurcir. Il se tape sur le cœur, se dompte. Mais le cœur n'y est pas. Alors, il marche et longe d'autres vitrines.

Les pas ne sont pas perdus. Ce sont eux, les pas, qui mènent Simon. Lui, il est perdu. Lui, il ne sait pas où aller. Tandis que Bernard sait qu'on ne va nulle part. Qu'il ne faut pas chercher. Seulement laisser le corps s'organiser avec le terrain, la logistique. Simon, lui, veut aller. Aller quelque part. Mais la tête n'y est pas. Ses pas le dirigent. Ils connaissent le trottoir de la rue Saint-Jean et ils ont l'habitude du corps qu'ils traînent tous les jours.

Les pas font entrer Simon à la *Tabagie Saint-Jean*, rue Saint-Jean, quartier Saint-Jean, Baptiste de son deuxième nom. Sur des mètres de rayons, des revues et des journaux se cherchent un lecteur. D'un signe de tête, Simon salue le barbu derrière le comptoir. Une vieille connaissance. Quelques semaines. Mais quelqu'un de tolérant. Quelqu'un de gentil. Oui, il y en a. Les premières fois, il surveillait Simon. La peur des voleurs. Mais, il n'est pas le patron, alors… Et Simon ne vole pas. Alors, il a laissé Simon prendre les revues. Il a observé Simon qui lit toujours des revues de musique. Il a remarqué que Simon feuilletait les revues délicatement et qu'il les remettait bien en place. Il a laissé faire. Il a oublié que la Tabagie n'était pas une bibliothèque. Il a pris goût à voir Simon regarder. À regarder Simon regarder. Il a pris goût à Simon. Et puis, un jour, il a vu Simon chanter devant l'église-bibliothèque. Il n'a pas traversé la rue. Il a souri. En fait, il a passé son chemin.

Une fois, mine de rien, il a profité de la présence de Simon devant l'étagère pour aller installer de nouveaux numéros qui respiraient encore l'imprimerie. Simon l'a fixé, mais l'autre s'est détourné. Il est retourné à son comptoir et, tout en servant un client, il a épié Simon. Il a souri et remercié la dame qui voulait des timbres. Mais, c'est pour Simon qu'il a souri.

Depuis, il revoit Simon dans la rue. Lorsqu'il l'entend chanter, il se trouve un abri, derrière un mur ou des gens. Il écoute. Il aime bien. Il croit que Simon ne sait pas. Et il protège son secret. Mais Simon sait. Pourtant il ne laisse pas voir qu'il sait. Alors, il peut lire les revues. Ils se rejoignent quelque part. Quand l'un chante, l'autre écoute. Il y a des gens qui s'écoutent. Même en cachette.

Chapitre IV

BERNARD ne va pas. Bernard est amené. De sa chambre au banc. Puis du banc à sa chambre. Il est amené par son corps. Depuis longtemps Bernard s'est abandonné à ce corps à qui il fait confiance pour les opérations de routine. Et sa vie n'est que routine. Bernard a pu se soustraire. S'abstraire.

Certains soirs d'été, même à la brunante, le soleil plombe, la chaleur étouffe les corps et les âmes. Mais Bernard garde les mains dans les poches de son trench en descendant la côte Sainte-Geneviève et la côte d'Abraham. De ces côtes, son corps ne connaît que les pentes, il faut ralentir le pas. Pour le reste, ce sont des détails qui n'ont aucune raison pratique. Le corps les a oubliés. Autour de lui, des gens passent ou le dépassent. Détails insignifiants. Dans le sens de sans signification pour le corps de Bernard. Tant que ces autres corps ne touchent pas le sien. Des voitures circulent, des gens en montent, en descendent. Détails. Certains se parlent à l'oreille, d'autres se crient par la tête. Détails. D'autres âmes enfermées errent, d'autres corps habitués errent.

♫

Simon est un corps habitué à errer. Pour le moment, Simon habite son corps. Il fréquente le corps des autres aussi. Il leur tend la main. Il leur lance des chansons. Il reçoit des pièces de monnaie. Dans le parc-cimetière, Simon s'est fait des amis. Il partage. Il partage son propre vide. Parce qu'il n'a rien et que ce qu'il a est trop enfoui. Il erre et frôle les corps sans vraiment les toucher. Il a plus de facilité avec les âmes. Avec les chansons. Avec les chansons, il caresse les âmes. Ou les brasse, les pousse à la révolte, à l'amour. Ou bien, il se raconte à Bernard. À lui, il dit tout. Enfin, tout ce qu'il sait, tout ce qu'il voit.

Mais ce soir, il s'est absenté. Il est parti ailleurs. Une course à faire. Une quête.

Dans cet ailleurs, sur le bord d'une autoroute, une voiture s'arrête. En descendant, Simon salue de la main et s'engage d'un bon pas dans la sortie. L'air de la campagne est moins lourd. Il va et vient. Moins stagnant. Malgré le soleil qui brûle encore à l'horizon. Alors, Simon atteint le boulevard. Alors, en son ventre, les souvenirs se nouent. En Simon se confrontent nostalgie et colère. Alors, les pas ralentissent. Simon relève la tête et regarde tout autour. Il reconnaît. Alors, il baisse la tête et regarde ses pieds. Ses pieds dans ses pas. Ses pas un à un. De plus en plus hésitants, nonchalants. Les mains moites au fond des poches de la veste de jean. S'il en sort une, ce n'est que pour la porter à sa bouche. Pour ronger.

Alors, la musique monte en Simon. Alors, les paroles se posent sur les choses. Leur définissent un contour précis. À coup de lames bien tranchantes. « Ceci est de la colère, disent les mots. Ceci est de la hargne. » Si on ne peut assouvir sa vengeance sur la vie, on peut assumer sa révolte dans les mots.

– *... pendant qu'ailleurs on fait des p'tits sans même l'espoir qu'y nous survivent...* Maman, m'aimes-tu ? Passe-moi cent piastres ! Maman, m'aimes-tu ? Tue-moi ! *Sans même connaître leur dérive...*

Sur le boulevard, les *mcdos* et *dunkins* alternent avec les anciennes maisons, les bungalows plus récents et les blocs-poulaillers. Sainte-Marie, comme toutes les autres. Nivelage de la ville par le bas. Devant un édifice de briques roses et de clins de plastique, Simon s'arrête. Il attend. Il n'a plus d'ongle à ronger. Ne reste qu'une masse dans le ventre. Une pression sur les tempes. Pas un son dans les oreilles. Pas un mot dans la gorge. Seul devant l'immeuble à logements, affreux et banal, identique à ses semblables. Nivelage de la vie par le bas. Fonctions primaires, manger, baiser, dormir.

Devant l'édifice où Simon a vu le réel lui échapper à travers les cris et les larmes, des voitures attendent que des gars leur ouvrent le ventre et les auscultent. Peut-être celle de Pierre. Comment savoir. Il change toujours d'auto. Il travaille pour changer d'auto. Un vieux char en remplace un autre. Il a fait une enfant à la mère de Simon. Une enfant en remplace un autre. Jobs, chars, enfants. Des pitiés échangeables.

Simon fixe le balcon du troisième. Sur le boulevard, derrière lui, des autos circulent. Sur le trottoir passent des gens, dans l'indifférence. Simon est absent. Il attend. Il attend la force d'entrer. Retour aux sources. Mais quelle source ? Source tarie. Source nauséabonde. Il attend des mots. Des mots pour parler. Pour dire des choses simples. Des choses comme : « Bonjour maman, m'aimes-tu, as-tu cent piastres ? » Des choses gentilles comme : « Comment ça va, toi ? » Des choses tendres comme : « J't'aime encore, t'sais, t'es ma mère. » Mais les mots sont distants, ce soir. Ils s'éloignent dans la nuit, sans musique. Alors, Simon attend.

♫

Brunante. Fin de jour tardive des jours longs. Soleil pourpre. Ciel de feu. Bernard a atteint le Jardin Saint-Roch. Encore ce soir, son corps l'a bien guidé. Il peut descendre l'escalier et longer la fontaine. Non, il ne longe pas la fontaine. Il longe les plates-bandes de fleurs qui sont de l'autre côté de l'allée, hors de portée des humains qui traînent, les pieds dans l'eau du bassin. Il longe les fleurs puis, rendu au bout de l'allée, il s'appuie au muret de béton. Son corps se repose. Son âme, elle, n'a pas besoin de repos. Elle a juste besoin de rentrer à la maison, à la chambre en fait. La brunante s'en va plus vite que ses pas à lui. La brunante est chassée par la nuit et la nuit est un monde que son corps ne fréquente plus, mais où son âme vit toujours. Appuyé au muret, Bernard laisse au corps un temps de répit, mais il lui dit sa peur. Sur ses épaules, sa tête se met en branle. Lentement d'abord. Puis, en gestes saccadés. Le cou s'étire et la tête cherche sa place. Ses yeux se ferment et la tête roule de côté et revient. Le corps perçoit le message. Il se prend en mains et se met en marche. Il emprunte l'allée bordée de fleurs et le son de la fontaine s'estompe avec la nuit.

♫

Dans un couloir aux murs de préfini, Simon avance avec hésitation. Les murs ont tout vu. Ils ont des oreilles aussi, dit-on. Ils ont tout entendu. Les cris des enfants qui jouent ou se querellent, les mots d'ordre des parents impatients, les mots gras des amants qui ne s'aiment plus. Les murs, ils ont reçu tous les coups. Ceux des bâtons de hockey et ceux des vélos, ceux des bagarres et ceux des ébats, ceux des emménagements et ceux des déménagements. Ils sont marqués des graffitis de la vie, égratignures et traces de doigts, de mains, de lignes de vie. À pas lents, Simon marche sur le tapis usé qui absorbe tout, le son, l'eau et le sel, celui de la rue et celui des humains. On y lit le chemin fréquenté, au centre du couloir. On y suit les quotidiens qui s'arrêtent devant chaque porte. Simon s'arrête, lui aussi, devant une porte. Il s'arrête et attend. Encore. Il retient son geste. Nerveux, gêné, humilié.

♫

Bernard a traversé le mail Saint-Roch et sort dans la noirceur de la petite rue. Il est trop tard. Son corps connaît le chemin, mais il va devoir admettre qu'il est usé. Il devra compter plus de temps entre la chambre et le banc, surtout entre le banc et la chambre, pour éviter la noirceur. Sa tête hoche à gauche et à droite. Mais son corps se presse. Il fait ce qu'il peut, le pauvre, le vieux. Il rentre la tête dans ses épaules qu'il gonfle. Bernard resserre les bras sur son corps, les mains au fond des poches du trench, malgré la chaleur. Il rase les murs et contourne chaque marche qui tombe sur le trottoir au pied de chaque porte, chaque marche qui vole un peu d'espace au trottoir. Les enfants ne jouent plus dans la rue, et les filles attendent la nuit et les hommes qui les paient. Elles connaissent bien Bernard et le laissent tranquille. Elles sourient simplement. Elles s'écartent comme on fait pour un aveugle et le regardent sans gêne comme on regarde un aveugle et comme on ne fait pas pour le paraplégique dans son fauteuil roulant.

Bernard arrive enfin devant la porte écaillée qui donne sur une marche qui tombe sur le trottoir. Sa tête est nerveuse sur ses épaules affaiblies. Son cou raidi résiste à peine. Il s'étire et la tête roule. Il cherche sa clé dans le fond de sa poche. Il cherche.

♫

Simon a assez attendu. Alors il frappe à la porte. Mais la décision est molle. Il frappe sans force. Et il attend encore. Le geste, au moins, lui a donné du courage. Alors il frappe de nouveau. Il a chaud et la fatigue l'assomme. Il attend. Et puis, quelqu'un bouge à l'intérieur. Alors Simon recule de quelques pas et lorsque la porte s'ouvre, il s'appuie au mur opposé. Sa mère le regarde, ébahie, peut-être ahurie.

– Toi?
– Oui… Ça va?
– Qu'est-ce que tu fais là?
– Je…
– Reste pas là, entre!

La mère regarde à gauche et à droite. Personne. Et Simon ne peut s'empêcher d'entendre: « Entre vite, quelqu'un pourrait te voir. » Comme un voleur. Comme une erreur. Il baisse la tête et entre dans l'appartement. Sa mère referme la porte aussitôt et Simon se colle au mur, en attente. La mère emprunte le couloir qui conduit au fond de l'appartement et Simon la suit, prenant ses distances, cherchant quelques forces pour l'affrontement. Elle ne l'a pas embrassé. Elle ne lui a pas demandé s'il allait bien. Rien. « Maman, m'aimes-tu, as-tu cent piastres? » répète-t-il dans sa tête. Il la suit vers la cuisine. Docile et abattu.

Passant devant une porte ouverte, il s'arrête et regarde la chambre. Une chambre de petite fille. Sur le lit défait, des vêtements et des poupées. Sur une table basse, des petits personnages de porcelaine Dollarama. Des rêves pas chers en miniature. Des idées de grandeur petits formats. Des histoires qu'on s'invente et qui comblent les vides. Des amis qu'on se fait et qui restent fidèles. Au mur, des dessins pas très beaux, mais de la main de l'héroïne. Sans doute. Et une affiche de Noir Silence. Un groupe de la région qui a réussi.

*« Tu sais mon cœur, on t'aime encore…**, pense Simon… *Sans même connaître leur dérive… »*

Sur le dossier de la chaise, Simon aperçoit un chandail qu'il reconnaît. Encore Noir Silence. « Vraiment une fan, se dit-il… Si je peux mettre la main sur ma guitare… »

Cette idée lui donne du courage. « Maman, m'aimes-tu? » Il se redresse. Il s'approche et prend le chandail dans ses mains.

« *La parole pour nommer et comprendre*
En fin de compte tue les mots tue les choses
Au crépuscule du silence…
… *Noir silence*

* « On jase de toi », *Noir Silence*, Noir Silence, texte de Jean-François Dubé, musique de Noir Silence, Éditions MPV.

Ouais ! La parole tue les mots. C'est bon ça. De toute façon, même en criant, c'est l'silence… »

Derrière lui, sa mère s'est approchée du cadre de porte. Elle s'y appuie, impuissante et exaspérée. Elle soupire.

– Pis… Tu viens-tu ?

– Oui, oui, j'arrive.

Simon suit. Il accepte. Il passera par où il faut. Il fera ce qu'il faut mais il aura sa guitare. Et après, il ne rampera plus devant personne.

Debout, près de la table, la mère gênée regarde le fils gêné. Sur la table, la machine à rouler, la boîte de tubes avec filtre et la montagne de tabac. Le fils comme un intrus dans la vie de sa mère. Le gêné gêne.

– Assis-toi… As-tu faim ?

« C'est ça. Action. Passons à l'acte, se dit Simon. Agissons. Faisons n'importe quoi puisque nous ne supportons pas d'être face à face. Ça déplace de l'air, ça occupe l'esprit. On fait semblant que c'est vrai. Pis le temps passe. » Et Simon s'assoit.

– Ouais… un peu.

– J'vas t'faire des spaghettis… avec la sauce que j'ai faite… Tu l'aimais ben…

– Je l'aime, maman… Je l'aime…

– Tu l'aimes ?

– Oui, je l'aime encore ta sauce…

– Ah ! Oui, OK… Ça s'ra pas long.

La mère fouille. Elle se trompe de porte d'armoire. Elle échappe tout. Elle fait du bruit avec le chaudron. Elle oublie le sel dans l'eau pour les pâtes. Elle dégèle la sauce au micro-ondes et c'est long. Quatre minutes. Elle déplace la boîte de nouilles. Elle met dans le lavabo la vaisselle sale qui traîne sur le comptoir. Elle ramasse les bouteilles de bière. Elle occupe le temps et l'espace. Elle déplace l'espace et fait passer le temps.

Simon joue avec le cendrier sur la table. Il est plein et la cendre se répand tout autour, les petits creux gommés de nicotine et de goudron. Simon joue dans la cendre, du bout du doigt. Il observe, gêné.

– J'peux-tu m'faire une cigarette ?

– Prends-en une… sont dans'boîte, là.

– Non, non, j'vas m'la rouler, pour le fun.
– Fumes-tu beaucoup ?
– Non, juste des fois.
– Tu fumais pas avant.
– Avant quoi ?
– …
– Avant quoi, maman ?
– Ben… plus jeune.
– J'ai commencé au centre d'accueil.
– Pis… Qu'est-ce que t'es v'nu faire à Sainte-Marie ?
– Ben… j'voulais t'parler.
– Est-ce que ça va bien au moins ?

Tiens. Elle se décide à prendre des nouvelles. Elle ne sait rien. Elle veut savoir mais préfère ne pas savoir. Elle a peur de savoir. Elle a peur d'avoir peur de ce qu'elle saura. D'avoir peur d'elle-même. Mais il faut bien qu'elle demande. Qu'elle pose des questions. Elle voudrait que Simon évite de répondre. Qu'il contourne les questions. Elle aurait fait sa part. Lui ferait semblant. Et on oublierait. Ou on ferait semblant d'oublier. Mais on ne pleurerait pas. Et après son départ, elle se cacherait pour pleurer et lui irait pleurer ailleurs. Mais elle ne saurait pas. Pas avec certitude. Ou pourrait faire semblant de ne pas savoir. Et les jours passeraient.

« À quoi bon discuter. Ça ne mène nulle part. » Simon hésite. Elle s'en fout. Pourquoi lui répondrait-il ? Sauf peut-être pour la faire souffrir. Lui faire sentir son malheur à lui et lui faire du mal avec. La culpabiliser. Pour qu'il y ait un minimum de partage. Pour être un peu moins seul. Après tout, c'est sa mère. Elle lui doit bien ça.

– Pis, Simon, ça va-tu bien ?
– Oui, oui, maman.
– Tiens, j'vas t'servir tes spaghettis, là. C'est prêt.
– Merci, maman. Ça sent bon.
– Manges-tu à ta faim ?… Où tu restes ?
– Avec un ami… Ça va.
– À Québec ?
– Oui.
– Sur quelle rue ?
– Saint-Jean.

Tout va bien. Les spaghettis se mangent. Le temps passe. Simon ne répond pas trop aux questions. La tension peut baisser d'un cran. Au moins, il mange, il dort et il a des amis. Tout est beau. Du moins, il le prétend. C'est suffisant pour maman. Ce n'est pas trop mentir pour Simon. C'est plutôt une demi-vérité. Une sorte de vérité incomplète que chacun peut interpréter. Ça fait bien l'affaire de la mère de Simon. Avec ça, elle peut vivre. Elle peut s'accepter. Au fond, elle a toujours su que Simon était un bon petit gars et qu'il s'en sortirait. C'étaient des erreurs de jeunesse. Maintenant, il a payé sa dette à la société. Il s'est pris en mains. Elle est presque fière. Alors elle ramasse l'assiette vide et tend à Simon un verre de lait.

– Du bon lait… T'en buvais beaucoup.

– J'en bois encore.

– T'as l'air en forme… Aimes-tu ça en ville?

– Ça m'prendrait cent piastres pour ravoir ma guitare…

– Comment ça?… T'as pus ta guitare?

– J'l'ai prêtée… j'avais besoin d'argent.

– Prends-tu encore d'la drogue?

– Ça'pas rapport, maman.

– Ça veut dire que t'en prends.

– J'ai pas dit ça…

– J'te donnerai sûrement pas d'l'argent pour t'ach'ter ton pot ou j'sais pas quoi.

– C'est pas pour du pot, maman. C'pour manger, pour n'importe quoi… Mais là, si j'récupérais ma guitare, j'pourrais faire d'l'argent en jouant dans'rue… J't'achalerais pus après… Y en a d'autres qui font ça pis ça marche.

Voilà! Les rôles sont bien campés. Simon quête auprès de sa mère. Elle lui fait la morale. Les rôles sont toujours les mêmes. Même les drames deviennent de petits drames ordinaires à force d'être joués et de se répéter. Le décor varie à peine et la peine est nivelée. On oublie. Sauf quand c'est son propre drame. Même si c'est classique.

– J'me d'mande en maudit pourquoi faire qu'tu t'trouves pas une job comme tout l'monde. C'est quoi ton problème? Moi, j'ai fait tout c'que j'ai pu pis ça m'a attiré juste du trouble. J'commence à être tannée en maudit…

– Maman… maman…?

– Quoi?

– Ça fait six mois qu'tu m'as pas parlé... Ça fait même pas une heure que j't'ici, pis t'es déjà tannée?

– C'est pas ça qu'j'veux dire...

– Non, mais tu l'as dit pareil...

– À Québec, t'es pas capable de t'trouver une job?

– C'est ça que j'veux faire, maman. Mais y faut que j'm'achète du linge pis toute.

– C'que c'est beau d'entendre ça! Y va s'acheter du beau linge pis là y va se trouver une job!... Non, mais hey! Pour qui tu m'prends?

– Au B.S., y ont dit qu'y m'aideraient.

– Simon, ça marche pas d'même. J'va t'donner d'l'argent quand j'vas être sûre que ça s'ra pas pour t'acheter d'la drogue... Quand est-ce que tu vas lâcher ça, ces cochonneries-là?

– Écoute, maman! Vous autres, vous buvez d'la bière en masse pis moi j'fume. Pis j'pense que c'est moins pire fumer.

– Tu commenceras pas à me faire la morale icitte à soir. Tu sauras que c'est tout c'qu'on a ça une p'tite bière, pis on passe not' vie à travailler pour la payer.

– Les payer...

– ...

– Les payer, maman. Vous en buvez plus qu'une...

– Simon... Change de ton!

– Ben quoi? C'est vrai.

– J'en bois pas tant qu'ça. Mon argent sert à payer ben d'autres affaires.

– Comme la bière de Pierre, p't-être.

Voilà encore! Le drame ordinaire. Les mêmes scènes. Les mêmes mots. Les mêmes vies qui vivent les mêmes drames et qui s'écrivent avec les mêmes mots. Et Simon se laisse aller à la rancœur. Et sa mère cherche une dignité perdue au fil des concessions qui ont mis fin aux petits drames quotidiens.

– Ça, ça te r'garde pas. J'le gagne mon argent. J'le dépense comme j'veux. J'fais c'que j'veux avec.

– C'est pas ça qu'j'voulais dire, excuse-moi.

– Ah! Simon! C'est donc ben compliqué... J'pensais que t'étais v'nu m'rendre visite. Comme ça, pour le plaisir... J'sais pus comment faire.

– Excuse-moi, maman.
– De toute façon…
– De toute façon, quoi?
– De toute façon, Pierre y s'rait fâché en maudit si j'te donnais d'l'argent…
– C'est ton argent…
– Tu l'sais que Pierre, c'est pour toi qui pense de même. Y veut qu't'apprennes à t'débrouiller. Un jour, vous pourriez p't-être vous entendre, même. Mais là, y aime pas ça que tu viennes ici. Y trouve que t'es une mauvaise influence pour Marie-Claire. Que tu y mets toutes sortes d'idées dans'tête.
– Les histoires de gars chauds, c'est pas moi, c'est lui.
– R'commence pas, Simon.
– J'me d'mandais si y était pour être là… J's'rais pas entré.
– Y va r'venir bientôt avec Marie-Claire.
– OK… J'comprends.

Simon retourne à la rue. Au boulevard. Ce n'est même pas sa rue. Son adresse. Sa rue de résidence est loin. Simon marche les mains dans les poches. Les poches vides. Elles sont encore plus vides que d'habitude. Il s'enfuit. À l'intérieur. Il se réfugie. Cherche protection. Demande asile. Que la déception. Que la colère.

– *J'ai mauvais caractère*
Un fichu caractère
Un maudit caractère
*J'vas finir en enfer…**

♫

Bernard a trouvé la clé de sa porte. Sa main a trouvé la clé dans sa poche. Sa tête est agitée de petits mouvements brusques. C'est la noirceur. Il devrait déjà être rentré. Ses pieds ont mis trop de temps à marcher. Son corps s'est reposé trop longtemps au Jardin Saint-Roch. Alors sa tête trépigne d'impatience. Finalement, la main tremblante peut insérer la clé dans la serrure. L'autre main peut tenir la

* « Mauvais caractère », *Les Colocs*, Les Colocs, texte d'André Fortin et N. Bélanger, musique d'André Fortin et N. Sawatzky, L'Industrie musicale.

poignée et tirer un peu sur la porte pour que la clé tourne plus facilement. Vieille porte, vieille main, vieux Bernard. Pour aller plus vite. Pour reposer la tête.

Et Bernard entre dans le vestibule. Il pose les pieds sur le tapis de journaux et de circulaires qui jonchent le sol. Il pousse la porte sans la fermer jusqu'au fond. Deux autres portes devant lui. Mais son corps a repris le contrôle. Il sait quelle porte prendre. La tête, sur les épaules, peut se calmer. Le pire est fait. Bernard ouvre la porte de droite et entre dans sa chambre. Sa chambre-refuge. Fondue au noir. Fondu au noir.

♫

Simon marche sur le boulevard. Dans la pénombre des lampadaires et des phares d'auto. Dans la noirceur du dedans. Il chante et il se retrouve. C'est le seul lieu où il renaît. Refuge et tremplin. Ses pas le guident. Ils ont l'habitude. Il se laisse aller. Comme toujours. Comme souvent en tout cas. Il se laisse aller et marche. Lentement, il reprend pied en lui-même. Se gonfle de solitude.

Dans la nuit chaude, quelqu'un vient. Quelqu'un que Simon connaît mais qu'il ne voit pas. Simon est dedans, pas dehors. L'autre est dehors. Il voit bien Simon, le reconnaît.

– Hey! Simon, salut! Qu'est-ce que tu fais ici?

– Ah!... Salut... Salut Christian.

– Ben quoi?... Ça va-tu?

– Oui, oui... chus juste un peu surpris.

– T'es-tu r'venu à Sainte-Marie?

– Non, non, j'fais juste passer.

– T'es-tu chez vous pour que'qu'jours?

– Je l'sais pas encore... Là j'arrive... J'sais pas si j'vas avoir le temps d'aller chez ma mère...

– Mais qu'est-ce que tu fais?

– Chus juste v'nu faire un tour... Chus supposé r'tourner à soir...

– Ouais, j'ai entendu dire que t'étais à Québec depuis...

– Depuis que chus sorti... Faut pas avoir peur des mots.

– Écoute, Simon... As-tu besoin de que'qu'chose?

– Ben non voyons! Ça va super bien... J'm'organise correct. J'travaille, fait que j'ai d'l'argent. Pis j'continue à faire d'la musique.

– Ah ! Oui ! T'en fais encore ?

– Faut pas lâcher, si on veut percer. Ça s'en vient bien. J'ai que'qu'p'tits contrats avec des chums. On joue dans des bars. C'est pas mon style, mais y faut commencer que'qu'part.

– Ouais, Simon, tu roules !... Pis c'est quoi ta job ?

– Ah ! C'est rien ! Une job ordinaire...

– Mais c'est quoi ?

– Ah ! J'travaille dans un club vidéo... que'qu'jours par semaine.

– Tu dois voir ben des films ?

– Pas pire... Mais moi, c'est la musique... Pis toi, qu'est-ce que tu fais ?

– Pas grand-chose... J'ai coulé mon secondaire trois, fait que j'finis juste c't'année.

– Vas-tu aller au cégep ?

– J'pense que oui... Mes parents vont m'aider pis j'vas prendre un appartement... P't-être qu'y m'prendrait à ton club vidéo pour faire que'qu'heures par semaine ?

– J'sais pas...

– C'est où ?

– Ah !... À Sainte-Foy...

– Parfait ça, j'vas aller au cégep de Sainte-Foy pis j'veux rester proche de là. Ça s'rait au boute. Pis on pourrait s'voir plus souvent... Tu viens pus nous voir... Tu v'nais plus souvent avant...

– Avant que j'entre au centre ?

– Ouais !

– J'étais en famille d'accueil, c'était plus facile... pis j'v'nais passer une fin d'semaine chez ma mère de temps en temps.

– Veux-tu m'laisser ton numéro d'téléphone ? J'pourrais monter à Québec... Tu pourrais p't-être me présenter ton boss ?

– Ben... chus pas souvent chez nous... Laisse-moi le tien à'place...

Finalement Christian est parti. Enfin. Simon s'en est pas si mal sorti. Il peut replonger. Les mains dans les poches de sa veste de jean. La tête dans les épaules. Les yeux derrière les mèches de cheveux. L'âme au plus profond et l'estime au plus bas. « J'aurais jamais dû y conter des histoires, pense Simon. J'aurais jamais dû aller voir ma mère. J'veux pas être de même. Lui, y va aller au cégep pis à l'université, probablement. Papa pis môman vont l'aider. Bravo ! J'en ai rien à foutre mais j'aurais ben aimé qu'on m'donne de quoi ravoir ma guitare. »

Finalement. Marcher sans regarder. Sans être vu surtout. Incognito. Une chance qu'on n'est pas télépathes. Simon ne veut pas être vu. Surtout pas en dedans. Une chance que c'est la nuit. Surtout en dedans.

– *Ici y a des enfants*
dans les p'tites cours d'école
qui jouent à être grands
à s'aimer, se marier

Là-bas y a des enfants
dans les bras de parents
qui font toujours semblant
d'être encore tout petits

Et puis y a des enfants
qui traînent dans les rues
on les a convaincus
qu'il n'y a pas d'futur

En plein été. La nuit. Froid à l'intérieur. Une chance que c'est la nuit. Une chance qu'il y a la musique. Les mots. Les mots sur des sons. Sur des mélodies. Simon habite cette musique et ces mots. Il s'y replie. Abri.

Simon arrive près du terrain de jeu, au centre de la petite ville. Où centre-ville il n'y a pas. N'y a plus. Ses pas l'ont guidé. Simon se faufile derrière les murs de l'aréna et longe la piscine clôturée. Près du bâtiment, il voit un groupe de jeunes. Plus jeunes que lui. Comme lui avant. Qui font comme lui. Comme lui avant. Ils flânent tard le soir. Le plus tard possible. Ils n'ont pas hâte de rentrer. Ils ne font rien. Ils ne font rien, mais ensemble. C'est bien assez. Ils parlent. C'est déjà quelque chose. Disent surtout des trucs sans importance. Sans importance pour qui ? Question d'angle. De perception. Sans en parler, ils refusent déjà les règles. Se coucher par exemple. Se coucher à l'heure où on doit se coucher. Pour dire non à quelqu'un. Et, dans ces petites villes, il y a peu de choses à rejeter. Sinon l'ordinaire. C'est déjà beaucoup. Et, de l'ordinaire, il n'y a que ça. Ils parlent surtout de ce qu'ils ne veulent pas. Très peu de ce qu'ils veulent. C'est normal, ils ne savent pas ce qu'ils veulent. Ils trouvent le bonheur des gens heureux bien ordinaire. Ils veulent autre chose. Mieux.

Alors Simon divise le monde en deux. Ceux qui ont une mère et ceux qui n'en ont pas. Ceux qui peuvent s'acheter une guitare et ceux qui ne le peuvent pas. Ceux qui dorment et ceux qui veillent. Des gens heureux et des gens malheureux. Seuls les naïfs sont heureux. Les réalistes savent. *La moitié du monde dort, l'autre attend de dormir**. Alors Simon voudrait bien dormir. Il y a les riches et les pauvres. La pauvreté s'accompagne de misère. Chacun a sa misère et même sa petite misère. L'ennui, avec la misère, c'est qu'elle est souvent petite. Ordinaire. Elle n'est pas si dramatique. Elle ne met fin à rien. Ce n'est pas une tragédie. Personne n'en meurt. Et on fait semblant ensemble que ce n'est pas si pire. Parce qu'il le faut bien. Parce que sinon, on pense à la mort. Et c'est tabou, la mort. C'est défendu d'en parler, d'y penser si possible. Les idées suicidaires sont une maladie. Peut-être un crime. Mais on ne condamne pas à mort les suicidaires. Pourtant, c'est obligatoire, la mort.

Alors Simon ne va pas parler à ces jeunes. Il passe droit. Tout droit. Comme pour le reste. Il longe le mur de l'édifice, se faisant petit, absent. Il longe le mur et disparaît. Il n'est pas vu. Une ombre.

Alors Simon va s'asseoir au pied d'un arbre. Son arbre. Son arbre quand il était plus petit. L'arbre est gros et il se cachait derrière. Quand quelqu'un passait, il tournait autour de l'arbre et restait caché. Abri. Souvent, il y avait des jeunes qui venaient veiller dans le parc. Ils s'assoyaient dans l'herbe et parlaient. Simon se cachait derrière le gros arbre. Il espionnait. Il respirait l'odeur des joints et écoutait les paroles. Les jeunes ne faisaient rien. Ils parlaient. Puis, à un moment donné, il y en avait un qui sortait sa guitare et qui jouait. D'autres chantaient. Et les joints tournaient. Et des bouteilles aussi. Et Simon

* « La Moitié du monde », *Fiori-Séguin*, Fiori-Séguin, texte et musique de Serge Fiori, Éditions sang latin.

tournait dans sa tête. Il chantait. Il jouait de la guitare. Il apprenait les paroles pour pouvoir les chanter tout seul une fois couché dans son lit. Ou durant la classe. Ou pendant qu'un adulte lui faisait la morale. Simon restait seul dans le parc. À répéter les chansons. Il y allait même les jours de pluie malgré l'absence des autres. Alors il chantait. Quelquefois à voix haute. Il était caché. Dissimulé dans la pluie. Seul et caché. Il chantait. Et ce soir, il fait chaud. Il est seul et caché. Mais la voix ne vient pas. Ou par bribes. *On les a convaincus qu'il n'y a pas d'futur.*

Chapitre V

BERNARD dort emmitouflé dans ses couvertures. La circulation de son sang est ralentie. Lui et son corps se reposent. Chacun de leur côté. Sans besoin l'un de l'autre. Le lien s'effiloche. Avec le temps, il s'amenuise. Fin comme celui qui soutient l'épée et long comme celui d'Ariane. Il s'étire et les éloigne l'un de l'autre. Durant la nuit, la corde s'étend et ils s'écartent un peu plus l'un de l'autre. Jusqu'au jour où il y aura rupture. Et il fait froid. Malgré la chaleur. Alors le corps de Bernard s'enfouit sous les couvertures. Il se terre. Comme Bernard lui-même. Mais pas au même endroit.

♫

Simon, lui, n'a pas vraiment dormi. La somnolence a suffi. Il attend le soleil. Tout au moins le jour. Alors il se lève et frissonne de fatigue. L'air est déjà lourd. La canicule se poursuit. Et Simon devra vivre encore un jour. Un jour à la fois et aujourd'hui en est un. Il va falloir s'occuper du corps. Le nourrir et le transporter. Le ramener à son antre, rue Saint-Jean. Le confondre dans la foule pour le trouver. Mais Simon a la bouche pâteuse et les yeux bouffis. Les cheveux emmêlés, les mains sales. Il se regarde et se voit. Tel qu'il est. Tristesse et colère s'affrontent à nouveau. Et le jour qui n'est même pas commencé.

Faire un pas. *Mettre un pied devant l'autre et recommencer.* Comme dans la chanson de l'enfance. Et recommencer. N'est-ce pas ce qu'il fait, jour après jour ? Pour aller où ? Marcher pour être, non pour aller. Et s'en contenter. Ou bien vouloir être différent et marcher pour aller vers cette différence. Marcher pour retourner à Québec, pour trouver de l'argent, pour ravoir sa guitare, pour chanter dans la rue, pour faire de l'argent, pour louer un appartement, pour avoir du B.S. pour avoir de l'argent pour manger et le reste. Tout tourne rond. Ou en rond.

Mais c'est quoi le reste? Pour se taire et marcher dans le rang? Il vaut mieux s'arrêter sur un banc et attendre. Comme Bernard qui n'a pas voulu de place dans le rang et qui ne marche plus que de chez lui au banc et du banc à chez lui. Bernard qui marche pour être. En fait, c'est son corps qui marche. Peut-être par nécessité de changer de place. De bouger un peu pour rester en vie. Pour se réchauffer. Alors Simon doit marcher lui aussi au moins pour ça. Se réchauffer. Malgré la chaleur. Se dégourdir. Se brasser. Ne pas aller, mais être. Marcher pour être. Être dérouillé, dégourdi. Ne pas laisser les muscles s'ankyloser. Et puis, se changer les idées. Faire travailler les neurones. On verra bien après. Après. Marcher vers après. Un déplacement dans l'espace qui est plutôt un déplacement dans le temps.

Simon repasse près du bâtiment des toilettes et en profite pour changer de vie. Essayer au moins. S'asperger d'eau le visage. Boire quelques gorgées. Se rincer la bouche et se laver les mains. Se brosser les cheveux avec ses doigts. Frotter ses vêtements et les replacer. Se refaire une beauté. Ou tout au moins une apparence. Se regarder dans le miroir et simplement se dire qu'on n'aurait jamais dû inventer les miroirs. Alors faire un pas. Pour se retourner, se détourner. Non pas pour aller, mais pour s'en aller. Ce n'est même pas un pas dans une bonne direction. Juste un pas pour s'extraire. Le plus petit pas. Mais un pas quand même. Il ne reste plus qu'à recommencer. Avec l'autre pied.

La piscine clôturée et l'aréna fortifié. L'aréna devenu temple. Par la puissance au jeu, les combattants de l'arène rachètent la médiocrité de nos vies. Payons-les et acclamons-les. Simon s'arrête et regarde le mur de blocs de béton. Il y pose les mains et pousse. Il pousse fort. De toutes ses forces. Le jeter à bas. L'écrouler. Puis il éclate de rire. Seul, il rit.

♫

Bernard a repris la route du banc. Il a grignoté des biscottes avec un café instantané aux grumeaux de lait en poudre, puis il a remis son manteau et il est sorti. Lorsqu'il traverse le Jardin Saint-Roch, il n'y a presque personne. Un homme étendu sur un banc de bois verni. S'enfonce un homme dans l'oubli. Ses cheveux longs tombent du banc en mèches grasses. Ses souliers troués sans lacets traînent à côté d'un sac de papier brun d'où émerge un goulot. Il peut sombrer dans la quiétude. Rien à perdre. Ici, personne ne remarque personne. Les vies sont parallèles et Bernard marche dans l'allée sans même savoir qu'il passe dans l'allée. Son corps s'en va, c'est tout. Quelqu'un le dépasse, l'air préoccupé, son attaché-case à la main. Un homme sérieux. Déjà deux enfants jouent dans l'eau de la fontaine dont le son fait écho au trafic du boulevard Charest qui commence à s'animer.

Bernard marche près des fleurs sans sentir l'odeur matinale. Bernard monte l'escalier sans entendre la fontaine. Bernard s'éloigne sans savoir qu'il s'en va.

♫

Sur le boulevard, Simon atteint un dépanneur ouvert tout le temps. Sa faim a guidé ses pas. Son instinct fera le reste. Il accroche son sourire, ouvre grand les yeux pour étirer la peau de son visage. Le masque est posé. La scène peut se jouer.

Simon entre et salue la femme qui s'affaire à préparer le café. Des gens viennent chercher leur café chaud au dépanneur avant d'aller travailler. Ils prennent un muffin qu'ils avalent d'un coup en conduisant. Ils savent où ils vont. Ils ont leur trajet bien défini. Ils n'ont aucun besoin d'y penser. Leur corps s'organise tout seul. Comme Bernard. Mais pas comme Bernard.

C'est bien que la femme soit occupée à faire le café. L'instinct de Simon l'a bien dirigé. Ses pas savent où l'emmener et quand. Il s'approche des tablettes et, rapidement, cache deux barres de chocolat dans sa poche. Un regard autour et voilà ! Tout est bien.

Puis il s'approche du comptoir et s'adresse à la dame.

– Bonjour, madame.

– Bonjour… Y va faire chaud, hein ?

– J'aime mieux ça que l'fret !

– Ah ! Ça…

– Où est-ce que j'peux prendre l'autobus ?

– C'est pas ici.

– OK mais c'est où ?

– Rue Saint-Antoine… un autre dépanneur.
– Ah ! OK. J'pense que j'sais où… Pis c'est à quelle heure ?
– J'sais pas… Y faudrait leur demander…
– C'pas grave… Merci quand même.
– C'est rien… bon voyage, là.

Le sourire de Simon fait effet. Avec son petit air gentil, il récolte pas mal lorsqu'il quête. Il sait jouer avec les sentiments. Surtout avec ceux des mamans. Il aime bien faire payer les mamans. La seule qu'il ne peut convaincre, c'est la sienne. Ça fait longtemps qu'elle ne le croit plus. Lorsqu'elle cédait, c'était par lassitude. Elle préférait laisser faire. Alors Simon a joué le jeu et maintenant il sait jouer comme il faut.

Sur le boulevard, Simon dévore son chocolat en marchant d'un pas alerte. Pour l'instant, il a un but. Il va à Québec. Il retourne à Québec. Rue Saint-Jean. Chez lui. Le triste épisode de la veille sera banni de l'histoire. Il n'a qu'à l'oublier. Comme s'il n'était pas venu à Sainte-Marie. Comme tout plein d'autres événements qu'il a éliminés de sa mémoire. Qu'il nie avoir vécus. Qu'il n'a pas vécus.

Décidé, Simon s'engage dans la bretelle de l'autoroute. Sans regarder en arrière. Pour ne pas figer sur place. Geler là. Dans son passé. Un passé qui ne lui laisse rien. Ou si peu. Il vaut mieux qu'il regarde en avant. Et pas trop loin. Regarder l'autoroute qui découpe les vallons de la Beauce, coupe les érablières en deux, les terres aussi. L'avenir a les cheveux en quatre. Regarder vers Québec et s'en tenir à ça. Pour le moment. Penser guitare. Juste ça. Seule route possible. Ne pas penser. Être.

C'est un homme dans la cinquantaine qui prend Simon. Un attardé des années 1970. Cheveux longs blanchis et barbe en vrac. Dans une bonne vieille auto américaine. On n'en voit plus beaucoup, mais lui, il est resté accroché. Malgré le prix de l'essence. Il aimait ce monde, alors il y est resté. Chacun son monde. Comme pour Bernard. Le hippie défraîchi s'en va dans sa vie. Il laisse parler Simon. Il cache un peu son intérêt mais pose quelques questions. Simon est nerveux. Il a des problèmes avec la ceinture et ne cesse de bouger. Il n'a plus d'ongles à ronger. Il a hâte d'arriver à Québec. Finir ce chapitre et l'oublier. Écrire le mot fin et passer à autre chose.

Alors il parle. Se laisse aller. L'homme écoute. Il se retourne fréquemment pour observer Simon qui regarde en avant, loin sur la route. Ou de côté, les champs qui défilent. La ligne blanche qui fuit par derrière. Et son flot de paroles qui déboulent, dévalent.

– Ma mère, elle, a m'aime ben, c'est sûr. C'est son chum qui veut rien savoir. Y ont une fille ensemble. On appelle ça une demi-sœur… La moitié de quoi, je l'sais pas. Y dit qu'j'y mets toutes sortes d'affaires bizarres dans'tête.

– Et là, tu restes où ?

– Nulle part pis partout. J'connais des places où j'peux aller, mais pas tous les soirs. On a des squats aussi. On s'arrange… Mais là, ça va changer. J'vas aller au B.S. pis y vont m'donner un peu d'argent pour payer un loyer, mais y faut que j'trouve un appartement…

– Avant, t'allais à l'école ?

– D'une certaine manière… Centre d'accueil. Mais ça fait six mois que chus sorti. J'ai eu dix-huit ans. J'savais pas quoi faire… Avant, j'ai été dans une famille…

– À quel âge ?

– Dix ans.

– Et ta sœur, elle a quel âge ?

– Six ans, j'pense… Y m'ont envoyé au centre, j'étais trop tannant… J'me poussais de l'école pis des affaires de même… J'aime ça apprendre, mais des choses utiles, pas des affaires d'école… Fait que j'ai jamais appris à rien faire. Au centre, tout est ben organisé. T'as jamais rien à décider. Fait que t'apprends rien. J'ai fait des fugues mais j'savais pas où aller. Astheure, je l'saurais.

– Maintenant, tu fais quoi ?

– J'vas r'tourner voir mes chums.

– As-tu un père ?

– Mon père, lui, y est ben correct. Ma mère, a veut pus rien savoir pis a dit qu'c'est rien qu'un soûlon, mais y a des problèmes. Y a pas été chanceux avec les jobs. Pis sa nouvelle blonde a veut rien savoir non plus. Chus trop bum. Mon père, y est malheureux. Y voudrait m'voir plus souvent, mais y peut pas. J'ai dîné avec lui, l'autre jour… en cachette… Ma mère, a dit que c'est un vaurien, une pâte molle. Moi, j'pense qui fait c'qu'y peut.

– J'en ai un fils, moi aussi… Je ne le vois pas souvent, mais régulièrement. Ça fait un an qu'on est séparés… J'aurais aimé ça qu'il vienne passer l'été avec moi…

– J'vas m'en sortir, c'est sûr. Chus pas comme d'autres. Là, j'me suis juré de pas prendre autre chose que du pot pis du hasch. Mais si j'avais ma guitare, j'pourrais gagner d'l'argent. Ça m'prend cent piastres pis après ça, j'vas jouer dans la rue. Après ça, avec le B.S., j'vas avoir mon appartement. Pis j'aimerais ça rencontrer une fille.

– T'as pas de blonde?

– Non. C'est mieux qu'j'en aille pas. J'ai pas envie qu'ça finisse mal. Moi, j'vas avoir une blonde quand j'vas être sûr que ça va marcher, quand j'vas travailler pis toute.

– Attends pas trop longtemps…

Les câbles d'acier du pont Pierre-Laporte défilent devant le fleuve qui brille au soleil. Les voiliers des riches se pavanent. Les grands navires enrichissent les riches et menacent le fleuve. Le pont l'enjambe comme si de rien n'était. Il oscille légèrement dans le vent, mais personne ne le perçoit. Tout se fait en douceur, en catimini. Chacun cache son jeu et tout le monde fait semblant de ne pas tricher tout en lorgnant le jeu de l'autre. Simon, lui, ce matin, ne triche pas. Il parle. Il dit tout. Sans nuance. Sans distinction. C'est sans conséquence, de toute manière.

L'auto roule sur Grande-Allée, au cœur du trafic matinal. Simon parle encore. Il raconte son passé, famille et centre d'accueil, la rue depuis six mois. La rue, sa vraie maison. Et le chauffeur s'interroge. Est-ce vrai, tout ça? Comment savoir si Simon dit vrai? Peut-être croit-il ce qu'il dit mais que c'est faux? Peut-être s'invente-t-il une vie parce que la sienne est ennuyante? Et pourquoi mentirait-il? Pour attirer la pitié? Pour se justifier? Pour s'endurcir?

– À quel âge es-tu entré au centre d'accueil, déjà?

– À dix ans… Ben au début, c'était dans une famille… Ma sœur, elle, au moins, a connaîtra pas ça. A l'a des parents, elle… J'l'aime pas ben ben son père, mais au moins a l'en a un.

– Eh bien! c'est pas mal ça… Moi, je suis rendu. Je vais te laisser au coin de Cartier, est-ce que ça te va?

– Pas d'problème, chus rendu.

L'auto s'arrête au bord du trottoir. Simon défait la ceinture nerveusement. Voilà. L'objectif est atteint. Le passé est derrière. Un nouveau chapitre va commencer. Il ouvre la porte et descend.

– Merci ben, là!

– Attends un peu… Tiens, prends ça… Ça va te faire un fonds pour ta guitare.

– Vingt piastres ?

– Si tu fais autre chose avec, c'est ton choix… ou ton problème.

– Merci… merci.

Simon referme la portière et l'auto repart. Un bras en l'air et l'autre par derrière, les poings fermés, Simon lance un cri de victoire.

– Yé! C'est parti !

Simon reprend sa route. Il descend vite vers la rue Saint-Jean. Ici, ce n'est pas chez lui. Un autre monde. Plus branché. Lui, Simon, il est débranché. D'ailleurs, il ne veut pas être branché. Quand on est branché, on a des règles à suivre, des endroits où aller, des choses à ne pas dire. Statut oblige. Pour Simon, les choix s'arrêtent bêtement à la survie. Aucun interdit, peu de possibles.

Lorsqu'il atteint la rue Saint-Jean, la musique revient à l'intérieur. D'abord un son d'harmonica. Puis les autres instruments. Puis la voix.

– *Un jour je vais sauter sur un train*
Et disparaître au bout du chemin
Ou p't'être même embarquer sur un radeau
Et ceux qui pensent que j'vais m'noyer
Oublient que j'ai appris à nager !*

Quand Simon passe devant la vitrine du prêteur sur gages, il ne s'arrête même pas. Il fixe la guitare. Il sait qu'elle est à lui. Comme pour dire : « J'arrive, ça s'ra pas long. » Comme pour dire « Attends-moi ! »

Et lorsqu'il arrive enfin au banc, Bernard est déjà là. Il a rejoint la tranquillité de son absence.

– Belle journée !

– …

– Chècque-ça, mon gars… Vingt piastres. Vingt belles piastres… C't'un début. Lui, je l'mets dans une aut' poche. Comme si'y'existait pas. Réservé. Réservé pour ma guitare.

– …

* « Le Train », *Vilain Pingouin*, Vilain Pingouin, texte de Rudy Caya, musique de Vilain Pingouin, Éditions Protonik et Les Éditions Michel Marceau.

– Tu t'en sacres, hein ? C'pas grave. De toute façon, t'es pas là... C'pas grave... J'vas chanter aujourd'hui, fait qu'y va rentrer d'autre cash...

Simon s'explique à Bernard. Il fait un plan. Un plan d'action. Il sait ce qu'il veut et sait comment s'y prendre. Travailler chaque jour. Mettre de côté une partie de l'argent. Le mettre à la banque. Dans l'autre poche. Petit à petit. Jour après jour. « Mettons dix piastres par jour. Huit jours. Quatre-vingts piastres. Plus vingt piastres. Cent piastres. Cent piastres, la guitare. Ma guitare ! »

Chapitre VI

TOUJOURS le soleil. Ça au moins, c'est gratuit. Et juste. Équitable. Il fait chaud. Beau temps pour les sans-abri. Ça fait oublier l'hiver.

Le parc Saint-Matthieu qui a tout d'un cimetière, sauf la mort dans l'âme, resplendit au cœur du quartier. Entre le Palais des congrès qui n'a rien d'un palais et la bibliothèque qui a tout d'une église, un refuge de verdure. Des arbres centenaires, des oiseaux qui chantent, des gens au repos et quelques-uns R.I.P. Le parc-cimetière. Certains s'y attardent au retour du travail tandis que d'autres sont partis envahir les terrasses pour le cinq à sept. La mise en marché des corps et des cœurs commence à cette heure. Il faut être satisfait pour s'arrêter et s'asseoir. Ou n'avoir rien d'autre à faire. Ou alors ne pas avoir le budget pour les terrasses et s'asseoir dans un parc ou sur un banc. On s'adosse à une pierre tombale où plus personne ne prie, on ferme les yeux et on pleure en dedans. Ou bien on est en paix. On veut juste prendre l'air. Respirer la fraîcheur qui repose des brûlures du béton. Ou du cœur. Peu importe, la plupart du temps le parc est refuge. Le cimetière aussi.

Au pied du gros arbre, derrière l'église-bibliothèque, quelques jeunes parlent et rient. Simon s'amuse bien. Ce qui compte, c'est le moment présent. Quelqu'un lui passe un joint et il se renverse dans l'herbe. À grandes bouffées profondes, il s'enivre. Il sourit au ciel qu'il voit à travers le feuillage. Tout près, quelqu'un s'accompagne à la guitare. Alors tout est bien. La musique transporte, mais n'adoucit pas toutes les mœurs. Ici, il y a des rebelles. Des gens qui en veulent à quelqu'un, à tout le monde. Il y en a d'autres qui refusent calmement. Il y en a qui sont emportés par le courant. Alcoolos, toxicos et schizos. Pour les mœurs, on a de tout. Les gens tranquilles ne le sont peut-être pas pour la bonne raison. Certains sont plus soumis qu'heureux. D'autres dorment. Et ceux qui font la guerre ne la font pas toujours pour la bonne raison non plus. Ils veulent dominer. Ils ne rêvent pas vraiment. Alors tous ces gens s'enivrent, quelquefois, pour oublier. Pour se reposer. Ni bons, ni méchants. Que des humains aux passions contradictoires ou aux absences de passions.

Au parc-cimetière, les mêmes jeunes s'y retrouvent tous les jours. La fin de semaine, le groupe s'agrandit. Un peu artificiellement. Les décrochés de fin de semaine. Les faux sans-abri qui font la fête et retournent à Sainte-Foy, Cap-Rouge ou Charlesbourg le dimanche soir venu. Ils sont sincères quand même. Ils cherchent. Ils remettent en question la quiétude banlieusarde. Ils explorent le monde. Attirés par la marginalité. Attirés par l'exclusion. Tentés de s'exclure eux-mêmes parce qu'ils ne veulent plus participer à ce jeu de société aux règles absurdes. Monde balisé de principes et de préjugés où le bien et le mal sont définis par les normes du pouvoir et ses intentions orchestrées.

Al, le grand efflanqué intello, est un permanent. Ce n'est pas par choix qu'il est arrivé à la rue. Mais c'est par choix qu'il y reste. La drogue aidant, il discourt sur la vie, le monde et le reste.

– Ne pas agir, c'est agir. C'est un choix. Qui vaut n'importe quel autre, explique-t-il à Isa, fugitive du monde lointain de l'Abitibi.

Al se croit. Du haut de ses dix-neuf ans. Il a trouvé un public. Il est le mythe de quelqu'un. Isa l'admire du bas de ses seize ans. Pour elle, qui vient juste d'arriver, il est un vrai. Il est beau et il lui parle à elle. Ce milieu est accueillant. Ici, la vie est vraie. Isa confirme ses espoirs. Elle s'accroche. Elle interprète les choses pour survivre. Elle laisse de côté les aspects négatifs. Elle veut croire. Et Al la soutient.

– Il faut qu'on refuse. Pacifiquement. Mais refuser quand même. Le problème, c'est que la plupart des gens qui sont contre la violence sont violents eux autres mêmes.

– C'est pour ça que chus partie de chez nous, confirme Isa. J'en pouvais pus de c'monde-là.

– C'est comme un grand jeu… pas toujours drôle. On est contre quelque chose, on s'affiche différent, pis la société nous récupère tout de suite après.

– On consomme n'importe quoi…

– Oui, tout est récupéré… même les cheveux roses et verts. Comme dans le temps des cheveux longs. Ça avait un sens uniquement quand la société rejetait les cheveux longs. Ou les cheveux rouges. Astheure, on voit ça partout, dans les vitrines, dans les revues.

– Comment veux-tu qu'on s'en sorte… Y sont plus vites que nous autres… plus forts.

– C'est pour ça que c'est un jeu. Comme à cache-cache. Chaque fois qu'ils nous trouvent, il faut se recacher. C'est toujours de même.

Simon n'écoute pas. Il entend. Il entend la guitare que Ben gratte doucement en turlutant. Il entend le discours d'Al. Il se sent loin. C'est bien beau tout ça, mais là, tout de suite, on fait quoi?

– C'est pour ça que j'aime autant avoir la tête rasée, coupe Pat, assis sur une tombe, un peu à l'écart. Y m'auront pas par la couleur des ch'veux.

– Ça aussi, c'est déjà récupéré… les tatouages et les anneaux dans le nez aussi, répond Al.

– T'es trop compliqué, toi, Al. Qu'y mangent d'la marde. Moi, j'vas m'occuper d'moi, j'en ai rien qu'en masse. Eux autres, y s'crissent ben de toi pis d'moi de toute façon.

– Pas tant que ça, Pat… pas tant que ça. Ils nous surveillent. Ouais, ils analysent, ils font des études. Ils évitent la confrontation. Ils s'abaisseraient pas à ça. Ils contournent le problème, ils nous récupèrent. Ils finissent par faire de l'argent avec. Ils nous font des passes par en dessous.

– Où t'as appris tout ça, toi? demande Isa.

– Il faut être lucide. Regarde, par exemple, au carré. Avant, on s'assoyait toujours sur le mur de béton. Ça fait partie du jeu de pas s'asseoir sur les bancs parce que les bancs c'est fait pour s'asseoir et que s'asseoir dessus, c'est faire ce qu'ils veulent qu'on fasse. Alors on s'assoit par terre, sur les murs et dans les escaliers. Alors ils ont mis des bancs tout le long du mur de béton. C'est calculé, on peut plus s'asseoir sur le mur. Alors on s'assoit sur le dossier du banc, les pieds sur le banc. Ils vont trouver autre chose.

– C'tu vrai? Y ont pas fait ça? demande Isa.

– Je rencontre souvent des anarchistes de Montréal. Ils m'ont dit qu'à Montréal, ils ont voulu donner des permis pour les *squeegees*. Ça' pas d'allure! Donner des permis pour laver des vitres de char au coin des rues! Ils récupèrent n'importe quoi. Quand on fait des graffitis, c'est pour dire des affaires contre le système à des places défendues. À partir du moment où on nous donne des murs pour ça, on est récupéré. Après, il y en a qui font des dessins gentils qu'on appelle des murales. C'est ben beau mais c'est récupéré.

Simon se redresse. Il en a marre des discours. Ça ne va nulle part. Il n'y a que la musique qui soit vraie. Il s'étire le bras et ramasse le sac brun qui dissimule la bouteille de vin. Il en prend plusieurs gorgées. Avide d'évasion.

– Quelqu'un a un autre joint?

– Là tu parles, toi, s'écrie Pat. J'vas vous rouler ça, moi. Ça va nous changer les idées parc'que là, là, Al, t'as besoin d'un r'montant, t'es fatigant pas mal.

– Hey Ben! passe-moi ta guitare, OK?

Simon peut s'en aller. S'extraire à nouveau. Sortir de la réalité. Ou aller vers la réalité. L'autre. S'exiler dans la musique. Il renverse la guitare sur ses genoux et se met à rythmer avec ses doigts, puis ses mains. Le rythme s'accélère et prend de l'intensité. Simon s'en va.

– *J't'écris une lettre pour te dire que t'avais raison*
Quand que t'es partie d'la maison
T'en pouvais pus fallait que tu t'éloignes
J'étais trop fucké fallait que j'me soigne

Oui mais là j't'envoie un document signé
Que ton psychologue a attesté
Je suis lucide j'ai l'œil du zig

J'ai pus d'bébites, j'ai pus d'bébites, j'ai pus d'bébites
noires qui m'habitent
J'ai pus d'bébites, j'ai pus d'bébites, j'ai pus d'bébites
*noires**

– C'est toi qui l'dis, lance Pat.

– S'il y en a un qui est psy ici, c'est bien toi, réplique Al. Tu tuerais pour le plaisir.

---

* « L'Œil du zig », *L'Œil du zig*, Zébulon, texte de Marc Déry, musique de Zébulon, Les Productions Anacrouse.

– Ouais. Mais j'tortur'rais avant... Tiens Sim, prends une pof, ça va te r'mettre de tes émotions. J'te l'dis souvent, t'es trop sensible. T'as un p'tit cœur d'adolescent.

♫

Bernard sur son banc attend le moment. Son corps doit reconnaître la lumière. Il doit calculer le temps requis pour retourner à la chambre. Se mettre à l'abri. Mais le corps vieillit. Il marche plus lentement et ce n'est pas facile pour lui de penser à partir plus tôt. Bernard s'inquiète quelquefois. Sa tête s'agite sur ses épaules. Alors le corps reçoit le message et se met en branle. Il reste encore un fil entre Bernard et son corps. Veut, veut pas, il l'habite. Il ne peut pas habiter ailleurs. Bernard habite son corps comme son corps habite le banc ou la chambre. Par habitude et par commodité.

♫

Les lumières de la rue Saint-Jean côtoient celles de la fin du jour. Bernard est parti. Simon est toujours dans le parc. Musique et rires. Rêves et chansons. Encore un joint et une bouteille de vin. Les têtes tournent et roulent. Les paroles sont débridées. Al refait le monde et Pat le défait à mesure. Isa contemple. Les autres s'en fichent. Le groupe s'est élargi. Marie en particulier. Marie est venue, mais Marie est tranquille ce soir. Elle arrive et salue silencieusement le groupe. Elle s'assoit un peu à l'écart, dans l'herbe. Elle écoute. Simon l'a vue mais ne la regarde pas. Il ne la fuit pas non plus. Pas tout à fait de l'indifférence, plutôt un égarement. Simon est parti. Il est déjà ailleurs. Sur la route de ce qu'il a pris, la musique l'a enlevé.

Et puis Marie vient le rejoindre. Elle s'assoit derrière lui et met la main sur son épaule. Il se retourne et regarde la main. Pas le visage. Il finit sa chanson et redonne la guitare à Ben.

– Viens-tu marcher ? lui demande Marie.

– On est correct ici. J'ai envie de m'amuser... Pis là, on fait d'la musique.

– As-tu des projets pour ce soir ?

– Ça s'peut qu'on aille chez Pat.

– Vous avez déjà l'air pas mal partis !

– Juste un peu d'vin pis d'pot.

– C'est ça qu'vous faites à soir ?

– Écoute Marie, moi, j'fais pas trop d'projets. Laisse-toi aller un peu... On verra... Veux-tu fumer une pof?

– Où t'as pris ça c'pot-là ?

– J'ai mes p'tits trucs.

– Tu dépenses c'que t'as gagné après-midi ?

– Premièrement, Marie, c'est pas d'tes affaires, pis deuxièmement, c'est Pat qui a payé.

– Pis ta guitare ?

– Ça, c'est mon problème, Marie... Commence pas à m'faire la morale.

– Excuse...

– Envoye là, tiens, fume un peu pis chante avec nous autres. T'as une belle voix... Hey, Ben, r'passe-moi la guitare, OK ?... Viens, Marie. Viens t'asseoir à côté de moi, pis chante avec moi.

– *Cette voix*
Brisée par l'alcool
Les cigarettes
Et les nuits folles

Cette voix
Fêlée de fumée
Toute angoissée
Presque étranglée

Cette voix
Pleine de blessures
De peines d'amour
Et d'aventures

Cette voix
Remplie d'amertume
De complaintes
Et d'infortunes

Cette voix que j'ai
Cette voix je vous la donne
*C'est tout ce que j'ai**

♫

Bernard approche de sa chambre. Sa tête dodeline lentement sur ses épaules. Le corps s'habitue aux peurs de Bernard. Mais le corps ralentit sa marche et la noirceur est presque complète. Nerveusement, il ouvre sa porte et se dépêche de la refermer. Dans sa chambre, une seule fenêtre extérieure qui donne sur une cour intérieure délabrée, elle-même difficile d'accès par derrière. Tout est bien. C'est le calme. Mais Bernard attend un peu avant de retirer son trench. Il se calme. La tête se place sur les épaules. Lui et son corps ont repris chacun leur place dans chacun leur monde. Loin l'un de l'autre. Le corps peut s'occuper de ses affaires. Prendre ses pilules, manger puis aller s'étendre et peut-être dormir. Bernard, lui, ne dormira pas. Ou peut-être dort-il toujours.

♫

Simon est égaré. Il a perdu sa propre trace. Il descend inconsciemment la rue Saint-Jean. Il pivote sur lui-même et lève les bras dans les airs en criant. Il accroche des passants et offre des excuses exagérées. Il se prosterne à la face du monde, s'abaissant ironiquement. Ce soir, les gens ne sont pas les bienvenus chez lui. Alcool et fumée. La musique s'est absentée. Elle s'est retirée pour un temps. Simon est perdu. Sans musique, il se perd. Sans mots pour le dire.

Au carré, il a vite trouvé quelqu'un qui lui procurera ce qu'il cherche. L'étourdissement. Il s'approche et, se frappant aux autres jeunes, il se faufile dans le groupe jusqu'au fournisseur. Simon est extravagant. Il prend de la place, physiquement et verbalement. Il parle haut et fort. Il est perdu et le monde autour est trop loin.

– Salut, toi !

– Salut !

---

* « La Voix que j'ai », *Offenbach*, Offenbach, texte de Gilbert Langevin, musique d'Offenbach, Les Éditions Offenbach.

– T'as-tu que'qu'chose ? crie Simon.

– J'ai toute la vie, mon gars !

– Niaise pas, continue Simon en mettant la main sur l'épaule du gars. J'ai besoin de que'qu'chose tu-suite !

Par-dessus l'épaule de Simon, le gars jette un regard à un autre type qui s'approche de Simon et le prend par le bras.

– Viens par là !

– C'est quoi le problème, crie Simon en se retournant brusquement.

– Calme-toi, vieux. On va t'aider, mais reste calme et suis-moi... Tu parles trop fort... Tu parais trop... Ta gueule !

– C'est quoi ton problème, toi ? C'pas à toi que j'parle, c't'à lui...

– Ouais, mais c'est moi qui réponds... Fait que c'est moi que tu suis.

Le revendeur s'est retourné. Il s'en va vers le coin des toilettes. Le long du mur. Simon se calme et se laisse pousser par le type qui lui tient toujours le bras.

– Ça va mieux, là ? lui demande le revendeur.

– OK, lâche-moi, répond Simon en regardant l'autre type avec agressivité. Lâche-moi, crisse !

– Qu'est-ce que tu veux ?

Alors Simon met la main dans l'autre poche. Celle qui est réservée. La poche petit cochon. La poche de la guitare. Alors Simon se perd complètement. Il tremble un peu. Il faut que les choses se fassent vite. La difficulté, c'est l'acte. Après, on assume sa médiocrité. Mais au moment de l'acte, on n'est pas encore de l'autre côté du mur. On peut toujours ne pas sauter. Mais on veut sauter. Mais Simon est déjà perdu et il vaut mieux que sa perte soit rapide et totale.

– Vingt piastres... juste de quoi fumer.

– J'peux t'donner ça... Avec ça, tu vas être correct pis tu vas faire fumer tes chums.

– OK, je l'prends.

– C'est-tu la première fois qu'on se parle, toi pis moi ?

– Ouais. On s'voit souvent mais on s'était jamais parlé.

– Tu r'viendras m'voir... mais reste calme. On s'fra une douceur ensemble... J'ai d'la poudre blanche qui est pas pire pantoute... La première fois, j'fournis l'aiguille...

– C'est beau, salut!

Simon s'enfuit rapidement. Il grimpe dans l'herbe et se faufile le long du palais Montcalm. Son palais. Il s'adosse au mur et se roule un joint qu'il fume voracement. Il se lève et regarde le mur de pierres du palais. Il y pose les mains. Caresse les pierres. Dans sa tête, la musique revient. En lui monte la voix. Simon se retrouve, se rejoint.

– *Cette voix, c'est tout ce que j'ai**.

En Simon monte une immense tristesse. Ses yeux s'embuent. Sa vue s'éteint. Les bruits de la ville se taisent. Simon retourne à l'intérieur. La foule est debout et l'acclame, il est sur la scène avec sa voix. Ses yeux pleurent de joie devant le public. Il partage tout avec lui.

– *Cette voix, je vous la donne**.

Palais Montcalm. Sur le mur de pierres, les doigts s'agrippent au rêve et les yeux coulent de tristesse. Alors la musique s'estompe, se tait. *Fade out.* Abandon. Simon avec lui-même, sans la musique.

Simon se rassoit et finit son joint tranquillement. Il essuie ses yeux avec le bout de la manche de son t-shirt. Refoulement. S'en aller. Marcher. Bouger.

♫

Bernard est couché en boule. Ramassé sur lui-même, sous son unique couverture de laine, malgré la chaleur. Ses épaules, son cou, une partie de sa tête. Tout est bien enveloppé. Sauf les pieds. La couverture est trop courte. Alors Bernard garde ses bas. Malgré les trous. Mais c'est la tête, le cou qu'il faut protéger. Ce sont eux qui s'excitent toujours. Ce sont eux le problème. Le corps n'arrive pas à les contrôler complètement. Mais là, Bernard dort. Au moins, son corps dort. Il fait des nuits un peu plus longues qu'avant. Bernard est ailleurs pendant le sommeil de son corps. En dehors de son corps, Bernard n'est peut-être qu'un état. Une matière inconsistante et inconsciente. Un être qui s'est dégagé et repose, sans responsabilité et sans attente. Bernard s'en fout. Il n'a pas besoin d'avoir conscience. De lui-même ou du reste. Le corps s'occupe du quotidien. De toute

* « La Voix que j'ai », *Offenbach*, Offenbach, texte de Gilbert Langevin, musique d'Offenbach, Les Éditions Offenbach.

façon, le quotidien, c'est surtout pour le corps. Comme manger et dormir. Lui, il existe, c'est tout.

♫

Simon s'est remis en marche. Il marque le pas. Il se fouette à sa manière. *Je fuis ma vie par en avant... qu'éclats de verre et désarroi.* Et il marche. Le cynisme est une technique d'autodéfense. Alors Simon sourit. Le cœur y vient tranquillement. Il marche. Il retourne chez lui. Rue Saint-Jean. Personne sur le banc. Quelques retardataires dans le parc-cimetière. Mais surtout des corps morts près des tombes, des bouteilles et des sacs pour les dissimuler.

Avant d'arriver au magasin du prêteur sur gages, Simon descend une petite rue. Il ne passe pas devant la vitrine. Une chance. Ce n'est pas nécessaire. Chez l'humain, la culpabilité suit son propre chemin. Elle n'a besoin de personne pour se mettre en branle. Pour lui dire qui frapper. Simon n'a pas besoin de revoir la guitare.

Par la petite rue, il croise D'Aiguillon. Une autre épine au pied des gens bien. Un beau garçon sur le muret de pierres qui regarde les hommes au volant des autos. Qui attend celui qui paiera la prochaine dose. Sur le muret de pierres d'une institution religieuse. Le monde se moque de lui-même. Bientôt une voiture va passer, ralentir, arrêter quelques instants. Un regard suffira. Les règles sont connues. Le jeune mâle descendra vers Saint-O, Saint-Olivier. Le chauffeur le prendra là. Il le prendra à bord d'abord. Il le prendra tout court ensuite.

Simon sait ces choses. Il observe le monde sans rien dire. Il ne veut pas juger. Pas même y penser. Alors il baisse les yeux devant le regard dur qui l'affronte. Comme certains passants qui le voient quêter. Alors Simon descend un peu plus creux. Et poursuit sa route perdue.

Il pénètre dans une petite cour de gravier où une vieille auto semble avoir fini sa route. De chaque côté, des escaliers de bois permettent d'accéder aux galeries des appartements supérieurs. Il grimpe à droite et atteint la porte de la cuisine du logement de Pat.

Pat se paie un logement. Avec son B.S. Ils sont trois à payer. Chacun son B.S. On est riche une fois par mois, c'est tout. Sur la table de la cuisine, vaisselle sale et bouteilles vides, cendriers qui débordent et sac de pot encore ouvert. Simon pousse et la porte s'ouvre. Il entre et s'approche de la table où il prend une bouteille de bière à moitié pleine. Il la lève et l'examine dans la lumière. Pas de mégot. Il boit. Voilà pour la tournée du proprio. Voilà. Il est arrivé. Que la fête commence.

La musique joue déjà très fort. Musique agressive. Du volume et du rythme. Simon suit le couloir et arrive dans une pièce double qui sert de salon et de chambre pour un des gars. Une dizaine de personnes sont déjà là, baignées d'une lumière rouge qui rend difficile l'identification des corps étalés.

– Salut Sim, lui crie Pat... Bienvenue en enfer!

– Salut Pat... Salut tout l'monde... Salut Ben... T'as apporté ta guitare?

– C'est sûr, mon gars... Viens boire un peu, ça réchauffe...

– On s'rait mieux d'se g'ler à'place... Y fait déjà assez chaud d'même à soir, répond Pat.

Dans un coin, un gars se tape les cuisses en suivant le rythme. En essayant de suivre le rythme. Il frappe fort. Les poings fermés. Mais il n'arrive pas à suivre. Il s'arrête souvent. Se frappe la cuisse puis recommence. Sa tête balance, juste à côté du rythme, elle aussi.

Dans le cadre de la porte apparaît un couple. Les yeux petits, les vêtements défaits. Ils arrivent de l'autre chambre. Personne ne remarque et ils se glissent dans la pièce, se font un coin sur un vieux matelas. Alors le gars allume un joint qu'il offre ensuite à la fille. Elle tire avidement sur le joint. Elle retient son souffle. Elle expire longuement. Puis elle recommence. Alors elle sourit.

– Tiens, dit-elle à Simon.

– Qu'est-ce que c'est?

– Hasch.

– Ouais!

Elle prend une autre pof. Aussi longue. Aussi profonde et le remet à Simon, qui fume à son tour et le passe au gars.

– J'ai du pot, dit Simon... Si quelqu'un en veut, juste à rouler...

Alors il roule un joint. Pour lui-même. Il s'étire les jambes, puis les bras. Il sourit.

– Tu m'passes ta guitare, Ben?

– Ouais, vas-y Simon... On va arrêter la musique, crie Pat.

Quelques accords. Quelques notes. Quelques rythmes du doigt sur le bois. Quelques notes cinglantes.

– *Sa mère ne l'aimait plus parce que son père, il l'aimait trop.*
C'fait qu'elle est tombée dans rue d'une bonne poussée dans l'dos.
Elle a perdu l'fil de ses idées au bout d'l'aiguille
qui fait rêver.
On n'a pas tous une tendre enfance, elle c'était
plutôt d'la délinquance.

Elle n'a jamais trouvé de raisons pour expliquer,
pourquoi que dans une foule elle est toujours isolée.
Elle n'a jamais trouvé de raisons pour expliquer,
pourquoi que des fois la vie est déjà toute
*tracée**.

Les conversations se sont tues. Plusieurs voix ont fait écho au refrain. Quelques-unes aux couplets. Simon regarde une fille étendue plus loin. Elle le regarde aussi en souriant. Alors il joue tout de suite. Quelques cordes bien pincées. Quelques notes. Puis des mots.

– *De l'homme blanc qui sauve le monde*
du noir qui toujours le domine
ou du gris qui n'a pas de place

lequel choisir
pour en finir
avec le bien
avec le mal

les noirs contre les blancs
les blancs contre les noirs
mais où sont donc les gris
éloignés du pouvoir
ils errent dans les rues
sans abri sans devoir
mais dis-moi le courage il est où

* « Délinquance », *Roche et roule*, Vilain Pingouin, texte et musique de Rudy Caya, Les Éditions Cayotteuses.

le courage il est où
il est où

Simon peut jouer toute la soirée. Toute la nuit. Il connaît des tas de chansons par cœur. Celles qu'il ne sait pas jouer, il peut les chanter. Les autres aiment ça quand Simon chante. Quand ils savent les mots, ils le suivent. Quand Simon invente, ils rythment des mains, de la tête ou du ventre. Ça gueule. Ça crie. Le gars dans le coin se tape sur les cuisses. Sur le matelas, le gars et la fille se laissent flotter. Ils chantent plus bas.

La fille au sourire s'est approchée de Simon. Simon se ressaisit. « Merde. Comment lui parler? se dit Simon. De quoi lui parler? Merde. Merde. Merde. Ben gelé pis à moitié saoul. Crisse de con! Alors chante Simon. Chante. » Fuir en avant. Alors c'est elle qui le rattrape, entre deux chansons.

– Tu chantes bien, Simon.
– Tu trouves?
– Ouais... Mais tu commences à déraper, répond-elle en riant.
– Ouais... c'est l'party pas mal.
– Moi avec, j'commence à être partie pas mal.
– Tant qu'à faire, tu veux que'qu'chose à boire?
– OK.
– C'est dans la cuisine.
– On y va ensemble?
– Attends, j'roule un joint.

Ils s'échappent. Loin des autres. Et loin l'un de l'autre. Ils se plaisent mais font tout pour s'éloigner. Ils errent, seuls et côte à côte.

– J'ai connu Pat avant Al... dans l'parc...
– Moi, j'aime pas trop ça le parc...
– J'ai un chum aussi sur la rue Saint-Jean.
– Moi, j'ai toute perdu mes amies...
– Un vieux fou...
– Me suis r'trouvée toute seule dans'rue.
– Mais au fond, c'est lui qui a raison.
– Attends-moi, j'vas pisser.

La fille le quitte un moment. Simon prend sa bière et boit à grandes gorgées. Une autre pof. Se ressaisir un peu. Reprendre pied. Retourner au salon. Chanter. Jouer de la guitare.

Tandis qu'il songe, la tête en fumée, une autre fille arrive dans la cuisine.

– Ah ! Simon ! Salut !

– Salut !

– Qu'est-ce que tu fais ici ?

– Ben…

– Tu me r'connais-tu ?… Cathy… On s'est vus au carré… T'étais avec une fille qui t'voulait pour elle tu-seule !

– Oui, oui, j'te r'place… C'est Marie…

– Non, moi, c'est Cathy.

– Non, la fille… c'est Marie.

– Ah ! fuck !… C'est pas grave… Est pas ici à soir !

Alors Cathy s'approche de Simon et l'enserre par le cou. Elle commence à lui lécher les lèvres. Puis les mains caressent la poitrine et se glissent sous le t-shirt. Elle frotte ses seins sur Simon. Il la prend par la taille. Elle attendait ça. Un encouragement. Alors elle l'embrasse dans le cou et sa main s'aventure sur son sexe. Et Simon en profite. Ses mains se mettent à errer sur le corps de Cathy, sur ses fesses, entre ses cuisses. Ils sont ivres et les têtes roulent tandis que les corps s'éparpillent.

Lorsque la fille au sourire revient à la cuisine, elle s'arrête sec et s'agrippe au cadre de porte. Elle est submergée. « Salaud ! J'peux même pas aller pisser. Salope ! » Alors, ses yeux se mouillent. Ses yeux débordent. Et son maquillage coule avec les larmes. Et sa peine s'en va avec les larmes. Vite. « Un autre fucké ! Tant pis pour lui ! » murmure-t-elle. Elle baisse les yeux, refoule son amour-propre profané, referme la carapace et reprend la route guerrière. Elle s'endurcit. Elle retourne à la salle de bains et se regarde dans le miroir. Elle est toute beurrée de mascara. Alors elle prend une serviette, la mouille et la passe sur son visage. Elle enlève tout. Son amour sale. La meilleure carapace, c'est la nudité. Pas de fond. Pas d'abri. Droit devant. Affronter les choses. À mains nues. Nue.

Simon n'a rien vu. Ailleurs. Quelque part comme nulle part. Cathy le prend par la main et ils disparaissent dans la chambre. La fête peut continuer. Ils sont partis. Au salon, quelqu'un d'autre a pris la guitare. Quelqu'un d'autre chante. Mais la musique n'habite pas Simon. La musique l'a laissé s'en aller.

La nuit envahit les corps et les cœurs. L'alcool et la drogue endorment la douleur. La solitude demeure, mais moins lourde. À la fin, le sommeil vient. Pas d'insomnie ce soir. Sur le matelas, deux gars se sont endormis. Un autre, assis au milieu du salon, gratte lentement la guitare en marmonnant. Juste à côté, une fille chante tout bas, mais un autre air. D'autres murmurent plus doucement. Le tempo est ralenti.

Dans cette quiétude délabrée, Marie arrive. En ce décor de fin de soirée de fin de siècle, elle se faufile, presque intacte. Elle regarde les corps morts, le sac de pot sur la table du salon et les mégots tout autour du cendrier débordant, les bouteilles de bière et de vin, ici et là, sans sac brun. Ici, on s'affiche. Nu.

Marie va vers la cuisine où elle découvre le même spectacle d'après-guerre. Corps morts et fumée. Elle revient sur ses pas et ouvre la porte d'une chambre. Simon et Cathy, nus, endormis. Voilà. C'est fait !

Marie fait le tour de nouveau. Pour inscrire tout ça dans sa mémoire. Pour sa propre révolte. Elle se sent en contradiction avec le monde entier. Avec le monde, mais aussi avec ceux qui veulent le changer. On se veut différent et pourtant, au bout de la différence, on est pareil. On a perdu de vue l'objet de la révolte et on reproduit. On croit vouloir changer le monde, on veut juste le pouvoir.

Marie ouvre la porte de l'appartement et descend l'escalier sombre qui mène à la rue. Sa main parcourt le mur, ses ongles grattent la peinture. Son foulard de soie noire traîne par terre. Marie s'en va. Marie ouvre la porte et Marie s'en va. Marie saute la marche qui tombe sur le trottoir. Elle referme la porte qui donne sur la marche qui tombe sur le trottoir.

♫

Bernard se tourne vers le mur. Ses yeux sont fermés mais en dedans, il voit la noirceur. Il pense qu'il ne voit rien, mais c'est la noirceur qu'il voit. Et la noirceur est totale en ce moment. Surtout s'il regarde le mur, les yeux fermés. De l'autre côté, même les yeux fermés, il peut voir la bande de lumière sous la porte. Alors il se tourne vers le mur. Ainsi, il peut creuser le fossé entre lui et son corps. Un jour, il enfouira son corps dans le fossé et le recouvrira de noirceur. Un jour, il n'en aura plus du tout besoin. Ce sera tant mieux parce que son corps sera trop vieux, de toute manière. Son corps ne pourra plus s'occuper de lui-même et Bernard n'a pas l'intention d'en reprendre la responsabilité. L'écart est trop grand et Bernard n'y tient pas. Il lui demande le minimum, et seulement pour le temps qu'il pourra. Il ne le déteste pas. Il n'y a tout simplement plus d'amour entre eux. Une sorte d'entente basée sur l'habitude. Alors, le corps de Bernard garde ses yeux fermés et repose calmement.

Chapitre VII

BERNARD referme la porte qui donne sur une marche qui tombe sur le trottoir. Il est tôt, mais déjà le soleil est bien en place. Il va faire chaud. Il fait chaud. Comme tous les jours, ces temps-ci. Comme toujours sous le vieux trench de Bernard. Les mains dans les poches. Il refait sa route matinale. Quelques enfants seulement jouent sur le trottoir. Son corps les contourne, mais ses yeux ne rencontrent pas leurs yeux qui ont déjà tout vu et qui ne rient même plus de Bernard. La circulation automobile reprend sa place dans les rues, mais Bernard longe les murs et traverse le moins souvent possible. Son corps est prudent pour lui. Le matin, il va mieux. Moins pire. Moins pire que le soir. Chaque soir, il est plus vieux. Et moins alerte. Une chance, c'est le matin qu'il monte à la haute-ville. À son rythme.

♫

Simon repart de l'appartement de Pat par où il est venu. Personne ne le voit sortir comme personne ne l'a vu entrer. Cathy dort et Simon en profite. Il ne veut pas lui parler. Il ne veut pas parler. Ne veut même pas pisser là. Il veut partir. Il veut s'en aller encore. S'extraire. Disparaître de sa propre vue. La bouche pâteuse et les paupières épaisses. Les cheveux gras et mêlés. Le geste brusque et mal assuré. La démarche honteuse.

Il descend l'escalier du balcon arrière, sans même prendre la peine de refermer la porte. En sortant dans la cour, il emprunte la petite rue qui descend. C'est plus facile de descendre et ça l'éloigne de chez lui. De la rue Saint-Jean. Il ne veut pas y aller. Ne plus jamais y retourner. Ne pas aller rue Saint-Jean, ni ailleurs. Juste partir pour toujours et aller nulle part. Ne plus être vu des gens qu'il connaît. Présenter un autre personnage à d'autres personnes. Une loque qui se terre.

Recommencer. Et ne même pas se souvenir. S'extraire même de la mémoire des autres. Faute de pouvoir recommencer, au moins finir.

Alors Simon prend la côte de la Potasse qui s'écarte de l'autoroute Dufferin et il saute le muret qui donne accès à la tanière sous l'autoroute. Le bruit sourd des voitures, les cochonneries éparpillées, les graffitis à la grandeur des murs. Tout rend le lieu irréel. Ou trop réel. Tout crée une distance avec le monde. Simon s'y réfugie. Il se cache. Personne d'autre, ce matin. Isolé dans sa honte, mais la confrontation évitée.

Simon fouille dans les poches de sa veste de jean et en sort le papier à rouler et les allumettes. Il a oublié le sac de pot dans le salon. Il a oublié de prendre une ou deux cigarettes. Rien à fumer. Rien à manger. Rien à boire. Rien à rêver. Il regarde autour de lui et ramasse quelques vieux mégots pas trop défaits. Au fond de l'asile, sur le muret, Simon défait les mégots et met le tabac dans un papier. Ses mains tremblent et le tabac tombe à côté. Il recommence. Puis il roule la cigarette et l'allume. Voilà! Un premier pas. Peut-être pas dans la bonne direction, mais un pas quand même. Et qui connaît la bonne direction?

Il s'approche du bord de la falaise et regarde la ville du matin. La ville tranquille. Quelques passants. Quelques autos. Il fume et se calme. Il voudrait que la musique vienne. Que des mots se superposent à lui-même. Que des mots déjà écrits viennent dire les choses à sa place. Lui, il se sent incapable de nommer. De nommer d'abord et de comprendre ensuite. Mais les mots se cachent. La musique aussi. Rien. Juste une sirène au loin. Très loin.

Alors son ventre se tord. La dernière bouffée de cigarette l'étouffe. Le mal de cœur et la tête qui cogne. Simon se retourne et s'éloigne de la falaise. Il s'appuie au mur et les haut-le-cœur s'accentuent. Nausée. Il vomit de la bile. Juste une bile jaunâtre. Plié en deux, Simon rejette ce qu'il a en lui. Et il n'a rien d'autre qu'une âme visqueuse. Ça lui glisse sur les cheveux, ça lui coule des lèvres, laissant un filet qui s'accroche au menton. Il tousse et il crache. Il se vomit lui-même. Il se hait.

Alors il s'effondre. La crise s'éteint. Il reprend son souffle, assis par terre le long du mur, sur une terre mêlée de pierres et de débris de béton et de fer. Terre de remplissage, presque pas de terre et beaucoup de déchets. De ses yeux viennent enfin les larmes. Les larmes qui soulagent et consolent. Il se laisse aller. Calmement, sans crise. Juste des larmes qui tombent une à une. Pas de spasmes, pas de sanglots. Qu'une eau salée qui s'écoule au compte-gouttes.

Il passe la manche de sa veste sur son visage. À plusieurs reprises. Alors il se relève et, avec un bout de tissu tout sale qui traîne par terre, il essuie ses cheveux emmêlés. Il se penche et secoue la tête vigoureusement. Il se redresse d'un coup, ramasse ses cheveux et les peigne avec ses doigts. Étirant son t-shirt, il se frotte le visage, les yeux surtout.

Il jette un coup d'œil autour puis, apercevant la corde qui descend de l'autoroute, le long du mur, il s'approche et en teste la solidité. Il s'élance. S'aidant du mur de béton et des nœuds qu'on a faits à différentes hauteurs sur la corde, Simon se hisse jusqu'à l'autoroute, dans cette petite portion qui conduit sur la falaise, projet avorté de tunnel. Espoir bâillonné de portes d'acier remplies de graffitis. En voilà un au bout duquel on ne verra jamais la lumière. Le bruit court que derrière ces portes, il y a une salle immense qui devait servir de garage ou d'autre chose. Un bel abri pour sans-abri. Mais les portes sont celles d'une forteresse. Alors on se met à l'abri sous l'autoroute, dehors.

Simon tourne le dos au cul-de-sac et avance sur l'autoroute. La Daishowa évapore sa pollution dans le ciel, comme toutes les papetières. Des autos s'en viennent à vive allure. Les citoyens de banlieue s'engouffrent dans la ville. Les fonctionnaires s'enfoncent dans la fonction. La colline est parlementaire et sous l'autoroute se terrent ceux qui n'ont pas voix au chapitre. Simon traverse le courant de voitures. Croisement de courses folles. Jeu dangereux. Il s'accroche au parapet de métal et laisse les autos siffler dans son dos. Il regarde la ville et les montagnes au loin. Rien. Rien pour lui. Aucune impression. Pas de mots, pas de notes. Le silence. *Qu'éclats de verre et désarroi.* Alors voilà. Les premiers mots. Les mots du silence. Crier en silence. Une boule se forme dans son ventre. Puis dans sa gorge. Que cette phrase qui se répète d'elle-même dans sa tête. C'est déjà ça. Ça suffit à créer un embryon. Une cellule à laquelle d'autres pourront peut-être se greffer.

Simon marche le long du parapet et quelquefois, les automobilistes klaxonnent. Tout ça c'est lointain. Il n'a pas encore accès au monde. Lorsque prend fin l'autoroute, là où descend la côte d'Abraham et où naissent les petites rues de Saint-Jean-Baptiste, Simon se retrouve un peu. Ses pas l'ont conduit. Comme toujours. C'est le retour chez lui. Nul autre endroit où aller.

♫

Sur le banc, Bernard. Pour tout le monde, c'est quelqu'un. Un quelconque, plutôt. Ou même l'absence d'un quelqu'un quelconque. C'est un corps que n'habite presque plus personne. Sous le soleil, un trench abrite un corps qui héberge quelqu'un. Le corps est au chaud mais Bernard n'a pas chaud. Le corps ruisselle, le front perle. Les mains dans les poches sont moites. Mais Bernard n'a pas chaud. Il veut se protéger avec son trench. Alors le corps s'adapte au besoin de Bernard de porter son trench. Et aujourd'hui, Bernard marmonne: « Ça sert à rien... »

Et sur les épaules, la tête s'agite. Elle frémit. Elle cherche sa place sur les épaules. Chez l'être humain, le cou est enfoncé entre les deux épaules de façon précise. Il se prolonge naturellement, pourrait-on dire, des épaules vers la tête qu'il supporte. Il est encastré dans le tronc, dans le corps du corps. Mais dans le cas de Bernard, il sort de sa cavité et la tête veut rouler. Au fil des ans, le lien s'est disloqué. Bernard se tend et il essaie de remettre la tête et le cou à leur place par petits mouvements secs. Et Bernard n'aime pas ça. Il fait vite et, sitôt le calme revenu, l'âme peut s'en aller. N'importe où, mais quitter le corps. Partir. Loin.

♫

Simon n'a pas l'âme à la chanson. Ou plutôt, la chanson n'a pas l'âme à Simon. Elle le fuit, s'en tient loin. C'est le ventre qui prend le dessus. Le besoin primaire de manger. Au coin de Saint-Jean et de Dufferin, il y a toujours du monde qui traverse en tous sens. Des piétons qui surveillent les autos plus que les feux et qui se jettent dans la mêlée dans l'ordre ou dans le désordre. Dans le désordre de préférence. Certains voudraient respecter l'ordre. Ont besoin que l'ordre soit établi et respecté. Mais c'est leur ordre qu'ils veulent. Chacun son ordre. C'est le désordre. Les personnes âgées et les boiteux ont l'ordre secondaire. Ils n'arrivent pas à traverser les huit voies assez vite. Le décompte de trente secondes ne leur suffit pas. Ils ne suivent pas le courant. Ils essaient et prennent des risques. Puis les automobilistes leur pilent sur les pieds ou leur frôlent les fesses.

Aux arrêts d'autobus, des gens font la file. Si tôt le matin, c'est la rentrée vers l'ordre établi. Il y a les travailleurs et il y a les misérables qui permettent aux travailleurs d'avoir bonne conscience en leur donnant les miettes qui tombent du système. Les financiers crachent sur les travailleurs qui lèvent le nez sur les assistés sociaux qui critiquent les sans-abri, les alcoolos, les détraqués. Pour la haute finance, l'itinérance n'existe pas. Et tout ce monde se croise, au coin des rues Saint-Jean et Dufferin. Et tout ce monde s'ignore. Ou se méprise.

Simon se promène de l'un à l'autre, demandant quelques pièces. Ce matin, il n'a pas le cœur à ça. Il n'a pas le cœur. Il ne chante pas. Il veut juste manger pour mettre fin aux étourdissements. Il est brusque dans ses demandes et lève le majeur dans le dos de ceux qui refusent. À l'arrêt d'autobus, plusieurs le regardent. Certains choqués, d'autres apeurés. Mais tous le regardent par-dessous. Personne ne veut s'y frotter. Personne ne veut voir pour vrai. On se conforte dans la pitié ou la condamnation. On manipule sa conscience pour éviter de s'engager. On se contente du regard du voyeur.

Sitôt qu'il a quelques dollars, Simon se retire. Café et muffins au *Commensal*. Deux gros muffins. Les gens qu'il connaît ne vont pas au *Commensal*. Et là, il peut descendre quelques marches et s'isoler au fond. Il peut se cacher comme une bête blessée qui veut refaire ses forces. Il mange goulûment et des miettes tombent sur la table et sur lui. Il passe la manche de sa veste de jean sur sa bouche et regarde autour. Sans relever la tête. Un homme en complet jette un œil puis replonge dans son journal. Rien ne l'atteint. Son univers ne laisse aucune place ni aux choses ni aux gens qui n'en font pas partie. Qui ne peuvent y ajouter une valeur. La valeur ajoutée. Dans la conscience de sa supériorité, il sait que de tout temps, il y a eu des gens dans la marge. Des contestataires. Des rebelles. Ou des inutiles. Ça fait partie du décor. Mais négligeable. Les pouvoirs ont toujours su conserver ou reprendre leurs droits. Les révolutions conduisent à l'installation de nouveaux pouvoirs. Et tout est à recommencer. Alors il faut suivre le courant. D'ailleurs, la plupart du temps, les révolutions ne sont que des soubresauts de l'histoire. Des frétillements agaçants, tout au plus. Alors il vaut mieux lire le journal qui ramène les choses au niveau de l'acceptable. En apparaissant à la une, les drames deviennent faits divers jetables après usage.

« Je ne sais pas ce que je veux... ou ce que je peux, mais je connais des choses que je ne veux pas », se dit Simon et cette pensée lui donne du courage. Lui force un sourire.

Alors il se lève et va aux toilettes, question d'hygiène. Avec sa merde, c'est toute sa nuit qui s'en va. C'est tout ce qui traîne en arrière. Encore une fois. Comme à chaque fois. Effacer. Oublier. C'est tout plein de verbes comme ça qui permettent de couper avec avant. Éliminer. Détruire. Noyer. Fondre. Reléguer. Hurler. Mourir, aussi. Mais après la mort, il n'y a plus de route à suivre, du moins on le pense. Tandis qu'en oubliant, on repart. Comme chaque fois, Simon s'en va de quelque part et non vers quelque part. Tout au plus, il va ailleurs.

Au bord du lavabo, il voit un élastique. Alors, avec ses doigts, il brosse ses cheveux. Puis les attache. Alors, il passe de l'eau sur son visage. Beaucoup d'eau. Alors il enlève sa veste de jean et son t-shirt et se lave la poitrine et les aisselles. Après avoir jeté un regard autour de lui, il se décide et enlève son jean et sa culotte. Il lave son sexe et ses fesses. Il efface sa nuit. Il se frotte au savon.

« Ça ne peut quand même pas servir juste à ça », pense-t-il.

Alors quelqu'un entre et s'arrête, estomaqué. Un petit bout d'homme en t-shirt et bermudas blancs. Bien peigné et tout. Il éclate de rire.

– Je croyais avoir tout vu.

– Excusez-moi, dit Simon en ramassant ses vêtements par terre.

– C'est pas grave... En fait, c'est même...

Mais Simon se détourne et entre dans une cabine. Il attend. Il entend. Il écoute le son de la pisse dans l'urinoir. Le son du robinet. Deux petits coups pour le savonnier. Et l'eau encore. Puis elle s'arrête. Puis le son du rouleau de papier. Le frottement. Quelques pas qui glissent.

– J'espère qu'on aura l'occasion de se revoir... Fais-toi-z'en pas avec ça !

Simon sort de la cabine et finit sa toilette rapidement. Il est tout plein de savon et se rince à grande eau. L'eau gicle partout. Quand il veut prendre sa culotte, il la regarde puis s'arrête. Il va la jeter à la poubelle puis enfile son jean. Voilà ! Un autre morceau du passé à la dérive, dérive continentale, par plaques et avec fracas. Avec son doigt mouillé, il frotte ses dents. Entre celles-ci, il insère le carton de son paquet de papier à rouler. Voilà ! Simon est lavé du passé.

Lorsqu'il sort du *Commensal*, le soleil frappe dur et l'heure de pointe tire à sa fin. Simon est à l'heure mais il n'a aucun rendez-vous. Il se sent libre et l'arrière-goût du party s'estompe. Au fond de son ventre, la musique peut reprendre sa place. Les mots peuvent remonter dans sa gorge. Simon se met à marcher d'un pas plus léger, presque sautillant.

– *Je lève mon verre à tous ceux qui n'ont pas raison*
Je lève mon doigt à tous ceux qui n'ont pas d'opinion
Je lève mon verre à ceux qui en bavent et qui en arrachent
Je lève mon doigt à ceux qui en parlent à Claire Lamarche

Un gros bravo, un gros merci monsieur le Monde
Oui, beau travail, monsieur le Monde
À part tes seins, les jours de pluie et la Joconde
*T'as rien fait d'beau, monsieur le Monde**.

Simon retourne vers le quatre coins. La dizaine de coins, en fait. Dufferin, Saint-Jean, côte d'Abraham, D'Aiguillon, Richelieu, côte de la Potasse. De l'autoroute à la presque ruelle. Des autos, des autobus. Des cyclistes et des piétons. Même des fauteuils roulants qui n'ont pas le temps de traverser. Des autos qui s'impatientent sur les rouges et accélèrent sur les jaunes. Des gens qui vaquent, chacun pour soi. Toutes les vies s'en vont. On a bien établi les règles du jeu pour que les vies se côtoient sans heurts. C'est réussi. Elles ne se touchent pas, ne se rejoignent jamais. Chacun pour soi selon la règle ou juste à côté. On a orchestré des vies parallèles.

En passant là, Simon se dit qu'il pourrait bien travailler un peu. Voyant venir une dame dans la cinquantaine, l'air heureuse, il s'élance.

– Bonjour madame… Un peu d'monnaie pour une chanson ?

* « Je lève mon verre », *Le Chien*, Dan Bigras, texte de Patrick Huard, musique de Dan Bigras, Éditions de l'Ange animal.

Mais la dame ne s'arrête pas. Elle a peur. Simon la suit.

– Ayez pas peur, madame. J'fais rien d'mal. J'veux juste vous chanter une chanson. Écoutez ben ça.

La vie dans la rue
C'est un peu comme un rêve
Tous les gens qu'on y voit
Ont des yeux de mirage
Ils sont pleins de promesse
Et pourtant ils s'ennuient
Alors j'essaie d'vous chanter
Quelques mots, quelques notes
Comme une consolation

La dame s'est arrêtée. Elle a écouté. Elle a bien entendu que Simon a une voix. Elle a bien compris les mots. Attendrie.

– Tu chantes bien.

– Merci, madame… et vous?

– … Non… non… pas moi, répond-elle en riant. Je fais fuir quand je chante.

– Ne dites pas ça, madame… Tout l'monde chante… Qu'est-ce que ça veut dire chanter mal? Ça veut rien dire. Y a juste les gens qui ont rien en dedans qui chantent mal et vous, vous en avez, ça se voit.

– Tu vois ça, toi?

– Oui, madame… Vos yeux… Ils sont presque mouillés…

– Mais non, mais non, dit-elle en s'essuyant… C'est le soleil…

– Bien sûr… C'est ce que je dis, madame. Le soleil dans vos yeux, y coule. Peut-être que vous chantez faux, mais c'est pas ça chanter mal. Y a plein de chanteurs pis de chanteuses qui chantent juste mais qui ont pas d'âme. Vous, vous en avez une, ça se voit.

– Ouais… Tu dirais n'importe quoi pour avoir un peu d'argent, j'imagine…

– Non, madame. J'dis tout c'que j'pense en espérant que ça plaise pis qu'ça rapporte un peu. Mais juste c'que j'pense. Pis pour vous madame, c'est gratis!

Simon se penche très bas, le bras et la main tendus devant lui. Il pivote rapidement et disparaît parmi les autres passants. Il se pardonne. Il s'élève en lui-même. Se reprend en mains. La musique et les mots l'emportent. Il a chanté. Il a dit tout haut. Il a fait plaisir. Le sourire de la dame, ses yeux mouillés, ses lèvres rouges et ses rides bien tracées. Simon s'est fait du bien. Il peut s'aimer un peu plus. Il s'est extrait de son passé. Il a rompu. Encore.

Simon traverse le boulevard Dufferin puis le carré D'Youville. Le cinéma de Paris est fermé et le palais Montcalm le regarde de haut. Simon accélère. Il ne veut pas voir. Il voudrait regarder les affiches de cinéma, mais on les a retirées du circuit en même temps que les petites vues pas chères. C'était juste pour les jeunes. Des films déjà sortis en vidéo, qu'on pouvait voir pour deux dollars. Simon en a vu quelques-uns. Mais il n'y a plus rien à voir. De l'autre côté, le carré le sépare du palais. La vie de la rue et le rêve. Sur la place, il y a déjà quelques jeunes mais Simon ne veut pas les voir. Il reste de l'autre côté de la rue et accélère. Il fixe la porte Saint-Jean comme une sortie de secours. Il va vers elle presque en courant.

♫

Les heures passent. Bernard est immobile. Il laisse passer le temps. Il laisse passer les gens qui vont et viennent d'un point à un autre, d'un moment à l'autre. Ils vaquent. À leurs occupations. Ou ils errent. À leur absence d'occupations. Ce qui est quelque chose à faire. Bernard ne vaque plus. Il n'erre plus non plus. Il ne fait que le chemin de la chambre au banc et du banc à la chambre. Il ne fait que les arrêts obligatoires. Quelques affaires à bouffer. Les feux de circulation. Ou pour reprendre son souffle, son calme. Sur son banc, Bernard n'erre pas. Il s'absente. Bernard peut attendre. Attendre que ça finisse.

♫

Plus tard, Simon revient au banc. Il s'assoit près de son ami. Il le regarde mais, devant son absence, il baisse la tête, les coudes sur les genoux. Il regarde par terre. Il regarde par béton. Des mégots de cigarette, un bout de papier, un sac de plastique. La suite du monde. Les gens veulent qu'on se souvienne d'eux. Quitte à être maudits.

– J'ai personne à haïr… Même pas ma mère.

Simon se retourne vers Bernard.

– T'en as une mère, toi?... Ben oui. Tout l'monde en a une... Mais t'a connais pas... Ou t'a connais pus. Est-tu morte?

Simon se cale au fond du banc. Il s'étire, les bras dans les airs. Les jambes sur le trottoir. Quelqu'un manque de tomber et toise Simon avec arrogance. Simon ne bronche pas et le suit des yeux. L'homme continue en tournant la tête pour regarder Simon. Il se heurte à un autre passant et doit se retourner pour voir où il va. Certain de ne pas être vu, Simon lève le majeur dans sa direction.

– T'as vu comment y me r'gardait? Non, mais chus chez nous ici... Y a au moins ici qu'chus chez nous... Chus donc ben niaiseux... Chus pas capable de garder cinq cennes. À c'rythme-là, je l'aurai jamais ma guitare... Comprends-tu ça?... Ouais... Aussi ben parler au trottoir... Au moins tu discutes pas...

Simon se lève et fait les cent pas devant le banc. Il cherche quelqu'un, un client, un bienfaiteur potentiel pour une poignée de monnaie. Le cœur n'y est pas. Le cœur est ailleurs. Il est à l'écœurement. Simon se force. Il lutte. Il n'a aucun choix. C'est le banc ou rien. C'est le trottoir ou rien. C'est surtout rien.

Puis, il décide d'entrer dans l'église-bibliothèque. Pour son côté bibliothèque. Il se promène dans la tranquillité. La chaleur est moins lourde que dehors. Le cœur aussi. Le silence est comme une musique et chaque petit son a une place de choix dans l'harmonie. Il regarde un peu partout et se dirige vers une table où quelques livres sont empilés. Il en prend un et il lit.

Il n'y a point de droit naturel [...] *Il n'y a de* droit *que lorsqu'il y a une loi pour défendre de faire telle chose, sous peine de punition. Avant la loi, il n'y a de* naturel *que la force du lion, ou le besoin de l'être qui a faim, qui a froid, le* besoin *en un mot... non, les gens qu'on honore ne sont que des fripons qui ont eu le bonheur de n'être pas pris en flagrant délit**.

Simon sourit. Il regarde le titre. *Le Rouge et le Noir*. Connaît pas. Il pense à Al. Il se dit qu'Al aimerait lire ça. Qu'il repartirait de plus belle dans ses élucubrations. Al ne referait pas le monde. Pour lui, le monde n'est pas à refaire. Il est à défaire. Sans violence. Et sans espoir de conclusion. Le monde se refait par lui-même et, si on ne veut pas être pris dans le tourbillon, il faut rester lucide et défaire ce qui se fait

* Stendhal, *Le Rouge et le Noir*, Paris, Garnier-Flammarion, 1964, p. 491.

à mesure. Sinon on est récupéré. Au lendemain d'une révolution heureuse, il faut en repartir une nouvelle, les rebelles devenant le pouvoir et le pouvoir devant être combattu.

Simon sourit encore. L'absurdité lui fait du bien. L'ironie et le cynisme l'encouragent. La colère lui donne de l'énergie. « Les gens qui réussissent, se dit-il, le font toujours su'l'dos de que'qu'un d'autre. Moi, j'ai tellement rien qu'personne peut s'enrichir sur mon dos. Chus vraiment d'aucun intérêt. J'dérange personne. Alors on m'laisse faire. Mais si j'dérangeais, la loi me r'tirerait d'la circulation. On hésiterait pas à m'enfermer. On peut quand même pas m'envoyer chez nous. On peut pas m'assigner à résidence. Sinon sur le banc. »

Simon se promène et ouvre des livres. Il s'approche des présentoirs et choisit au hasard. Il feuillette quelques pages, lit quelques phrases, puis les replace comme il faut. À la bonne place. Les livres sont pleins de mots. Et les mots, c'est important. Ils servent à faire des chansons. Simon ne connaît pas beaucoup les livres, mais il les aime. Il les respecte parce qu'ils contiennent des mots et que les mots, ce sont les choses. Il ne lit pas les livres. Il ne lit pas souvent. Quelques revues à la *Tabagie Saint-Jean*. Chez son ami de la Tabagie qui fait semblant de ne pas voir Simon qui se cache pour lire quelques mots. Simon ne lit pas beaucoup de mots. Il les apprend par cœur à partir des disques écoutés chez *Mélomane*. Les mots, il les entend et les retient. Il devine leur sens parce qu'ils sont porteurs de sens. Il leur donne le sens qu'il peut. Avec ce qu'il sait. Mais il écoute les paroles des chansons qui utilisent bien plus de mots que les paroles des passants de la rue Saint-Jean. Et il aime chanter les mots. Leur donner des intonations. Les adresser à des gens. Trouver le ton, la bonne chanson, en fonction de la personne. Alors il chante. Puis, après, il voit s'ils lui donnent des sous. Quand la nouvelle est bonne, on ne tue pas le messager. Il se fait dire qu'il chante bien et ça lui plaît. Et il aime se faire dire que telle ou telle chanson est belle. Lui, il n'est que le porteur du ballon. C'est une histoire qui est venue après les porteurs d'eau. C'est plus noble. Simon porte la parole, il la distribue. Gratuitement. Ou presque. C'est selon.

Simon sort de l'église-bibliothèque et demande de l'argent au premier passant qu'il voit. Rien. Pas de sourire. Pas de regard. Même pas de gêne. Il vaut mieux chanter. Les mots des chansons attirent plus que les demandes officielles. Simon retire l'élastique de ses cheveux. Il recrée le personnage. Costume de travail. Il place sa veste de jean par terre, la ramasse en tas, puis, de la main, enfonce un peu le centre. Il fouille dans sa poche et y prend les quelques pièces qu'il lui reste. Il les jette dans le creux de la veste. Il se retourne vers le mur de pierres de l'église-bibliothèque et laisse monter en lui la voix.

– *Dehors novembre, je suis couché sur mon grand lit*
Du coin de mon œil par la fenêtre j'vois l'hôpital
Chu pas capable de croire qu'y faut que j'm'arrête ici
Mais chu tout seul, pis de toute façon ça m'fait trop mal

Mon corps c'est un pays en guerre su'l'point de finir
Le général de l'armée de terre s'attend au pire
J'ai faim, j'ai frette, je suis trop faible pour me lever d'boute
*On va hisser le drapeau blanc un point c'est toute**.

Déjà quelques pièces. Des dollars. Un deux. Ça va. Ça va bien même. Pour les clochards. Tant qu'il y a de la vie… On le sait. Simon a chanté cette chanson, puis il a virevolté sur le trottoir en faisant la musique avec sa bouche. Dans sa tête, il entend la musique. Il accorde sa voix avec elle et chante les paroles. Il sourit aux gens. Il fait beau. Encore. Et lorsqu'il fait beau, les gens aiment les sourires. C'est sûr. Et lorsqu'il pleut, les gens aiment les larmes. C'est sûr aussi. Les gens n'aiment pas les larmes lorsqu'il fait soleil. Lorsqu'il fait soleil, on se cache pour pleurer. Lorsqu'il pleut, on s'assoit seul sur un banc public dans un endroit public et on pleure devant tout le monde. Mais il n'y a personne et tout le monde pense que c'est la pluie qui ruisselle sur nos joues. Les gens passent rapidement sous leur parapluie ou cachés dans le capuchon de leur imperméable, et la tristesse est plus grande parce que personne ne remarque les larmes. On se sent vraiment seul et on peut se laisser sombrer dans sa tristesse. Ce qui fait du bien. Il faut bien la vivre, elle aussi. Il faut la vivre bien. Comme la joie. Au soleil, on sourit. On sourit et on chante. On regarde les gens un peu plus, mais quand même pas dans les yeux. Les gens ont le cœur au partage et le

---

* « Dehors novembre », *Dehors novembre*, Les Colocs, texte d'André Fortin, musique d'A. Fortin et J. Bourgoing, Les Éditions Solodarmo et Musigraphe Éditions.

bonheur est plus grand parce qu'il y a des sourires, des regards et des chansons. Les gens sont naïfs. Ils oublient vite qu'il va pleuvoir. C'est bien parce que les bonheurs ont le droit d'être vécus pour ce qu'ils sont. Comme les peines. Lorsque Simon chante au soleil, il fait sourire les yeux des gens. Ils sont trop gênés pour le laisser paraître mais ils sont heureux. C'est gênant le bonheur. Surtout devant quelqu'un qui quête. Mais tout de même, ça leur fait quelque chose dans l'âme et quelquefois, ils jettent une pièce sur le manteau de Simon. Il y en a qui ont plus de facilité à partager leur bonheur. Ils s'arrêtent et écoutent. Parfois, ils donnent un peu d'argent. Ils font leur part. Ils sont gentils. Tout simplement gentils. Ils ne cherchent pas tous à se donner bonne conscience. Il y en a qui l'ont déjà. Simon les salue. Les remercie d'un signe de tête, d'un regard ou d'une émotion envoyée dans les airs. Simon aime ce qu'il fait. Il aime son métier. Dépositaire de mots en chanson.

De l'autre côté de la rue Saint-Jean, un homme l'observe. Il voudrait s'approcher mais il a peur de briser quelque chose. Il ne veut pas être vu mais il le veut aussi. Paradoxe des émotions. Il sait que Simon le reconnaîtrait. Et après, ce ne serait plus pareil lorsque Simon viendrait lire des revues à la *Tabagie Saint-Jean*. Il ne voudrait pas que Simon cesse ses visites. Il veut pouvoir le regarder. L'aider à son insu. Lui montrer des revues, mine de rien. Mais il voudrait que Simon sache qu'il le regarde, qu'il l'aide. Il le veut et il ne le veut pas.

L'homme reprend sa marche en direction de Dufferin et là seulement il traverse la rue Saint-Jean. Il emprunte le trottoir en face et revient rapidement, trop rapidement. Devant le *Ballon rouge*, un bar gai, il s'arrête. Se calme. Puis il reprend sa marche, d'un air décontracté. Il s'approche puis, sans regarder Simon, il lance une pièce de deux dollars vers la veste. Au son, il comprend que la pièce a roulé sur le trottoir. Il rougit. Sans un regard, il continue son chemin. Il n'entend plus rien. Ni le trafic. Ni les oiseaux dans le parc-cimetière. Ni la voix de Simon. Mais si les oiseaux chantent encore, Simon, lui, s'est tu. Il a ramassé la pièce, puis les autres pièces et la veste. C'est la pause et il va s'asseoir près de Bernard.

– T'as vu ça?

– …

– Y m'a lancé un deux, mais à terre… Mais je l'connais… C'est l'gars d'la Tabagie. Y est ben correct… Y m'laisse r'garder des revues. Y a un kick, j'pense. J'sais pas si y sait que je l'sais. On bouge pas ni un ni l'autre. Y sait qu'y m'intéresse pas… Ça l'empêche pas d'être smatte…

Bernard fixe le trottoir et Simon regarde Bernard. Mais le trottoir ne regarde personne. Pourtant tout le monde a les yeux baissés. Ça se laisse fouler aux pieds, un trottoir. Ça ne dit jamais rien, mais ça finit par s'user, avec le temps, le froid, la pluie, le gel et beaucoup de coups de pied.

– Tu t'en fous, hein?… Pas grave…

Simon regarde les passants. Lorsqu'il suit quelqu'un, seuls ses yeux bougent. Il ne voit pas vraiment. Il sent la boule dans son ventre qui remonte. Dans le ventre, puis la gorge, puis les joues. La langue s'épaissit et la salive se fait rare. Une oppression. Une chute libre. Un étourdissement. Interminable minute. Minable moment.

Marie arrive, sourire aux lèvres et aux yeux. Dans sa camisole noire qui laisse deviner ses jeunes seins. Ses cheveux ébouriffés et ses yeux foncés. Et son tatouage sur l'épaule. Simon s'extirpe de son état et lui sourit. Un peu forcé. Les gens qui ne nous connaissent pas ne peuvent pas lire. On peut se dissimuler. Ils ne savent pas ce qu'un sourire veut dire ou ne pas dire. Les gens qui nous connaissent savent. On ne les leurre pas avec un sourire. Ils peuvent donc être une menace. Ils peuvent nous renvoyer des vérités qu'on voudrait ignorer. Sans rien faire. Sans rien dire. Leur présence seule suffit à éveiller la conscience. Et la culpabilité. Une mère, par exemple. Ou une fille qui aime un gars. C'est fatigant.

– Salut, Simon.

– Salut.

– Alors?

– Alors quoi?

– Qu'est-ce que tu fais?

– J'ai chanté un peu… J'ai fait que'qu'piastres.

– Bon… Tant mieux.

– Toi?

– J'cherche un gars que j'connais…

– Ah!

– Niaiseux… C'est toi!

Simon se lève en riant. Il renverse la tête pour lancer ses cheveux en arrière. Il prend Marie par le cou et l'embrasse sur la joue. Marie se colle un peu plus. Elle rit, elle aussi.

– On va dans l'parc?

– Non, pas dans l'parc… dans l'cimetière.

– OK d'abord.

Le parc-cimetière pour les jours ensoleillés. Le cimetière-parc pour les jours de pluie. Mais ces temps-ci, il ne pleut jamais, ni ne neige. Ils contournent l'église-bibliothèque des beaux jours et vont s'asseoir au pied du gros arbre. Les oiseaux en ville. Des arbres et des oiseaux de ville. Du feuillage et de l'ombre. Le soleil s'infiltre et fait scintiller les feuilles. Un peu de pelouse autour des tombes. Quelques personnes qui flânent. La vie se repose d'elle-même. Les pierres tombales le rappellent. Le grand calme. Alors Marie chante. Elle parle-chante. Parce que la chanson est ainsi faite. Et parce que ça lui convient.

– *Y'a ben du monde qui grouille dehors*
Malgré l'hiver qui fait son smate
Si y'a un soleil y brille pas fort
J'aime la lumière c'est un peu plate
C'est tout c'que j'sais… mais j'vas finir par l'apprendre.

– C'est bon en maudit… Y dit aussi, un peu plus loin:
Coudonc ça va-tu mal dans l'monde
Ou ben y'a juste moé qui capote
C'est p't'être ben parce que j'ai pu d'blonde
Qu'la vie a l'air pas mal moins hot

Puis Marie poursuit avec Simon
– *C'est à cause de mon répondeur*
Y'a absolument rien su'a cassette
J'te dis qu'à soir dans mon p'tit cœur
*Y fait frette**.

– Ah! toi! Tu les connais toutes!

– Ben pas celle-là en tout cas… juste des boutes!

---

* « Le Répondeur », *Dehors novembre*, Les Colocs, texte et musique d'André Fortin, Les Éditions Solodarmo et Musigraphe Éditions.

– Tu pourrais réussir, t'sais.
– Réussir quoi?
– J'sais pas… chanter… faire d'la musique.
– J'ai même pas ma guitare.
– Ça t'prend pas tant d'argent que ça.
– Ouais…
– Hier soir, t'as-tu dépensé pas mal?… T'avais pris ça où?
– Ah! Marie, commence pas…
– Ben, t'sais Simon, j'aimerais ça qu'on soit honnête ensemble… Y a assez d'monde qui dit n'importe quoi… Entre toi et moi, j'veux du vrai…
– Ben oui, Marie, moi aussi… mais on n'est pas obligé de toujours parler d'problèmes…
– On en parle jamais de toute façon… Peut-être que si on en parlait pour vrai, que j'aurais pus besoin qu'on en parle à un moment donné.
– Les problèmes, moins on en parle, moins on en a.
– Chus pas sûre de ça, moi… Ça' ben été avec Cathy?
– … Qu'est-ce que tu veux dire?
– You-hou? Simon? Ici la terre… Je voudrais te parler s'il te plaît…
– Non, mais qu'est-ce qu'elle a, Cathy?
– C'est justement ça que j'me d'mande… À part le fait qu'a prend tous les gars qu'a veut… pis les filles aussi d'ailleurs… A l'a pas grand-chose…
– Bon, Marie, vas-tu t'expliquer?
– Simon, Simon… Sais-tu c'est quoi la vérité?
– Y a pas personne qui me l'a enseignée, à moi… J't'ai rien dit de pas correct.
– Non, ça, t'as ben raison… T'as rien dit pantoute. Tu dis rien, fait que t'es pas obligé d'mentir, pas obligé d't'impliquer!
– Qu'est-ce que tu veux tant savoir?… Si j'ai couché avec Cathy?… Oui, j'ai couché avec Cathy. Oui, c'était la première fois. Oui, c'était la dernière. Oui, j'ai pris un coup. Oui, j'ai fumé en masse. Oui, j'suis un con qui a dépensé toute son argent. Voilà! C'est ça qu'tu voulais savoir? Fait qu'tu l'sais. J'espère qu'au moins tu t'sens bonne quand t'humilies les autres comme ça!

– Excuse-moi Simon…

– … Ça mène nulle part de parler d'même… J'aime mieux chanter.

– J'voudrais qu'on soit des bons amis…

– Des amis, oui… Mais t'es pas ma blonde, Marie… Pis même si tu l'étais, t'aurais aucun droit sur moi. Comprends-tu ça? Chus né tout seul, j'vis tout seul, pis j'vas mourir tout seul. Avec mes amis, j'passe le temps, j'chante, pis j'fume, pis j'me fais du fun…

– C'est pas comme ça que j'vois les amis… Encore moins les relations entre les gars pis les filles…

– J'te l'ai dit, Marie, t'es pas ma blonde.

– Je l'sais, j'ai compris.

Alors Marie se lève. Alors Marie s'en va. Elle s'éloigne lentement. Tête basse. Elle s'efface derrière l'église-bibliothèque. Sans se retourner. Alors Simon la laisse partir. Sans un geste. Sans un mot.

À son tour, il se lève. Il retourne rue Saint-Jean. Il retourne au banc et s'y écrase. Encore vidé. Encore à sac. Comme une ville après une guerre perdue.

– J'y arriverai jamais… dit-il, comme si Bernard l'écoutait ou l'entendait. J'arriverai jamais à rien… Nulle part… D'ailleurs, où est-ce que j'pourrais ben arriver?… J'vas nulle part… C'est toi qui as raison… Tu te poses pus ces questions-là…

Chapitre VIII

C'EST L'HEURE du souper. Un entre-deux. Les choses, les objets restent là mais tout change. La couleur surtout. L'orange. Le soleil teinte les choses d'orangé. L'univers se referme, en quelque sorte. Comme cette huître qui se ferme à la lumière, ne gardant du monde que quelques étoiles lumineuses. Le monde s'enveloppe d'une aura de pénombre qui est plus propice aux actes marginaux. Pas seulement illicites. Tout ce qui est en marge du cœur et qu'on ne veut pas voir au grand jour. Des choses qu'on veut bien montrer, mais dans l'intimité. À quelque grand ami, si on en a un. À des étrangers, le plus souvent. Des gens dont le jugement s'envolera avec la nuit et le retour à la conscience du lendemain.

Les gens aussi changent. Ceux du jour sont partis. Ceux du soir ne sont pas encore arrivés. Une autre belle soirée d'été. Les oiseaux, dans les arbres du parc-cimetière, continuent à jaser. Leurs chants seront enterrés par le bruit de la ville, mais plus tard. Les passants sont les mêmes. On les voit souvent. Il y a une vie de quartier. Ce sont des êtres humains qui habitent les maisons du quartier Saint-Jean-Baptiste. Du vrai monde. Des hommes et des femmes. Des enfants aussi. Il y a des familles. Mais il y a aussi des gens seuls. Des alcoolos, des toxicos et des schizos. Des êtres de toutes les couleurs et de tous les sexes. Et ils se promènent tous rue Saint-Jean. Par affaire ou pour le plaisir. À cette heure, entre jour et nuit, ce sont eux surtout qui passent devant le banc où habitent Bernard et Simon. Car le banc, c'est un peu chez eux. Surtout Simon. Pour Bernard, c'est une résidence secondaire. Pour Simon, c'est une résidence principale. Sans adresse. Donc sans chèque. Sans existence. Bernard existe, lui. Il a son chèque le premier du mois. Simon n'existe plus depuis le centre d'accueil. Bernard, lui, est fiché. Mais les ficheurs, et les inspecteurs des ficheurs, et les superviseurs des inspecteurs des ficheurs, ne connaissent pas le lien intime qui unit Bernard et le banc.

Ça, c'est hors-norme. L'État ne prévoit pas ces situations, à moins d'une plainte. Et personne n'a à se plaindre de Bernard. Le monde s'en fout. L'État aussi. Pourvu que Bernard ne dérange pas, on peut le laisser aller. Alors, on maintient le lien du chèque et on oublie le reste. Ça arrange tout le monde, Bernard le premier. D'ailleurs, lui, il a décidé de faire confiance à son corps pour ces choses et il s'est retiré. Si on peut imaginer que le lien entre l'État et le corps de Bernard est très mince, on peut entrevoir qu'entre l'État et l'âme de Bernard, il n'y a plus rien. Alors Bernard va en paix. Non, il ne va pas. Il est en paix. Sauf pour le tic. Lorsque quelque chose ne va pas. Ou va de travers.

♫

Assis sur le dossier du banc et les pieds sur le siège, entouré de quelques jeunes, Simon, les yeux fermés, chante ce qu'il est, ce qui est. Le carré est plein de monde. Des touristes de partout. Du monde entier, du Canada, du Québec et des banlieues. Tous gens de passage qui ne connaissent rien de la vie des bancs publics et qui, comme l'ami Brassens, rêvent encore des *amoureux qui* s'y *bécotent** *sans voir, dans les yeux bleus et sous le front plein d'éminences, l'âme de* [leur] *enfant livrée aux répugnances***, n'est-ce pas Monsieur Rimbaud ?

C'est Al qui connaît ces phrases-là. Qui a tout plein d'amis disparus qui ont raconté toutes sortes de sornettes que des gens ont retenues afin de compenser leur manque de mots pour exprimer leur vie. C'est Al qui discourt sans arrêt. Simon retient quelques passages. Ceux qui collent à sa peau ou ceux qu'il envie. Ils s'inscrivent tout de suite dans sa tête et se rappellent à lui. Ils s'écrivent en lui et demeurent. Parce que les écrits restent. La mémoire trace des signes sur l'âme. Elle aussi, elle reste. Puis elle s'estompe avec le temps, comme l'encre qui pâlit et le papier qui jaunit. Ou si on brûle le papier avec l'encre dessus. Si on brûle ses souvenirs pour oublier. Alors on n'a plus que des mots d'ou-

* Georges BRASSENS, « Les Amoureux des bancs publics », 1952-1954, disque Phillips 6499-777.
** Arthur RIMBAUD, « Les Poètes de sept ans », dans *Poésies*, Paris, Librairie générale française, Livre de poche n° 5924, 1984, p. 64.

bli. Comme désert ou nuage. Alors on pleure de ne pas avoir de souvenirs plutôt que de pleurer sur ceux qu'on a. Et le seul mot qui reste, c'est pluie, même au soleil. Surtout couchant.

Autour de Simon, quelques amis. Amis ? Amis de destin peut-être. Sans plus. Le besoin crée les alliances. La fin du besoin laisse sombrer l'amitié dans un vacuum de mémoire nostalgique. On en vient à regretter ses besoins. C'est tout. Alors on ne retient que le mot pluie et on pleure incognito.

Al fume des joints. Il est parti. Il fume des joints et fait des siennes. Il ne fait que des siennes. Par principe. Il ne fait pas celles des autres. On ne peut rien pour les autres. Simon regarde plus qu'il n'écoute. Les discours d'Al sont de longs monologues intérieurs qu'il exprime à voix haute. Simon écoute la musique. Pour le reste, Simon sourit. C'est tout. Il regarde le travailleur de rue qui, venu se joindre au groupe, veut débattre avec Al. Mais Al est trop parti. Simon chante pour de l'argent. Al parle gratuitement, sans même qu'on le lui demande.

– Les poètes sont mes amis et mon ami Ferré a déjà dit que *le désordre, c'est l'ordre moins le pouvoir*!* Voilà ! Toi, tu cherches à nous ramener à l'ordre. Dès qu'on est une gang, on est la société. Dès qu'on a des buts communs ou bien des stratégies, on finit par rentrer dans le moule. Sinon, tu es en dehors de la gang. Pareil comme dans la société. Il faut vivre seul et tout défaire, rien refaire à la place.

– Tu ne comprends pas, reprend le travailleur de rue. Tu ne comprends pas que tout seul, on peut pas s'en sortir. Il faut qu'on se mette ensemble. Pis ça empêche pas chacun d'avoir son idée.

– Tout le monde dit ça, mais quand ils réussissent pas à convaincre les autres qu'ils ont raison, ils s'imposent. Le pouvoir, c'est l'arme des faibles, de ceux qui ont peur de la solitude et qui sont pas capables de convaincre les autres ou d'accepter que les autres pensent autrement. Quand tu n'es pas convaincant, tu prends le pouvoir.

– Moi, je te parle pas de pouvoir. Je te parle d'aide. De faire des affaires. Regarde, même ton point de vue, ça serait le fun que tu l'exprimes…

* Léo Ferré, « Il n'y a plus rien », LéoFerré.com, site officiel, vol. 9, Il n'y a plus rien, L'Espoir, Barclay, 8412692.

– Je l'exprime, mon point de vue… Même que des fois, les autres sont pas mal tannés…

– Tu dis ce que tu penses, mais si on faisait une vidéo ou si t'écrivais dans un journal… tu rejoindrais du monde.

– Oui, mais dès que j'aurais écrit, il y aurait du monde pour interpréter ce que je dis pour servir leurs intérêts. Les gens volent les idées des autres et les changent…

– Chacun a droit à son opinion…

– Faire une vidéo, ça prend de l'argent, une organisation, et ça, c'est encore la société. Et si je dis pas ce qu'ils veulent entendre, ils vont l'enlever de la circulation ou bien le récupérer. Et ils vont réussir.

– T'exagères…

– Quand c'est rendu que Richard Desjardins conteste le système au Grand Théâtre, la contestation est récupérée.

– Au moins il dit ce qu'il pense. Il essaie quelque chose.

– Moi, je négocie rien avec le système.

– T'es pas tanné d'déconner, Al ? lui lance Pat, arrivé au milieu de la conversation.

– Y est ben parti, là, répond Simon. Y nous fait tout un discours. On comprend rien, mais on sait qu'y est contre. Y discute avec Denis… C'pauvre Denis, y voudrait ben convaincre Al de faire que'qu'chose. Y connaît pas Al… Y fait déjà que'qu'chose, Al, y parle.

– Y parle trop, lance Pat. Y dit n'importe quoi pis on oublie d'se faire du fun. J'aime mieux m'envoyer en l'air que d'écouter ces niaiseries-là.

Simon se lève du banc. Il met la main sur l'épaule d'Al.

– Lâche pas, mon Al, tu vas dev'nir célèbre… Pis toi, Denis, cherche ailleurs. Prends-le pas personnel. C'que tu fais, c'est ben correct, mais c'est pas pour les gars comme nous autres. Y en a d'autres qui ont besoin d'aide. Nous autres, on est capables de s'arranger…

Simon n'écoute pas la réplique. Il s'éloigne. Il tourne autour du groupe. Tourne en rond. Une tête rasée s'approche de lui. Le gars de la Beauce. Une vieille connaissance. Une vague connaissance. Un gars qui fait partie de l'ancienne vie. Celle refoulée. Celle à oublier. À détruire.

– Salut Simon, lui dit-il en le prenant par le bras.

– Ah ! Salut !

– Tu fais quoi, là?
– J'sais pas encore… J'attends quelqu'un.
– Viens, j'veux t'parler…
– Qu'est-ce qu'y a?
– J'sais qu't'as besoin d'argent…
– Tout l'monde en a besoin.
– J'ai p't-être que'qu'chose pour toi.
– …
– T'as-tu déjà fait des passes?
– Qu'est-ce que tu veux dire?
– Des maisons… des affaires de même?
– Mmm… Non, pas vraiment…
– J'me cherche quelqu'un pour demain soir. Une affaire facile… On a même la clé… On entre, on ramasse, pis on s'en va…
– J'sais pas trop… J'aime pas ben ben ça…
– C'pas dur, t'sais… Pis c'est même pas dangereux… Y a un gars qui nous attend avec le char pis c'est lui qui écoule le stock.
– Ouais… J'sais pas…
– Ça m'prend une réponse tu-suite… Y a pas d'niaisage avec ces affaires-là.
– C'est payant?
– Que'qu' centaines de piastres, certain.
– Ouais, c'est tentant…
– Décide, là!
– Bon… OK, j'embarque…
– OK d'même… On se r'trouve ici demain soir vers onze heures… Ça marche?
– OK.

Simon s'éloigne un peu plus. Au fond de lui-même. Du haut de l'escalier du palais Montcalm, il regarde le carré. Des punks avec des têtes hirsutes. Des *spikes* bien dressés, des têtes à l'iroquoise. Des révoltés contre l'ordre. Contre tout ordre. Mais aussi des chanteurs, des conteurs de rap. Et d'autres rebelles aux pantalons plus amples et qui laissent voir des craques de fesses encore bien naïves. Puis des jeunes aux allures des années 1970, fumeurs de pot et rêveurs d'amour. Et puis d'autres, ordinaires, comme tout le monde. Comme personne. Et un petit groupe de têtes rasées. Du vert armée pour les chemises et du cuir usé. Des bottes hautes et bien lacées. Des regards durs, des yeux perdus, des yeux d'alcool. L'alcool pour les skins, la drogue pour les autres. Chacun son rêve. D'ordre ou de désordre. Puis, bien au fond, bien caché, des petits cœurs un peu tout croches.

Devant le palais, des skates passent à toute vitesse, zigzaguant entre les passants et sautant les marches de l'escalier. Ils sont dans le champ de vision de Simon. Mais la vision n'atteint pas son esprit. Simon voit plus loin. Juste derrière. Il a les yeux levés vers le palais. Dans sa tête, pas de musique. Le silence. Le palais le ramène à sa réalité. Ce n'est pas lui qui chantera ce soir. Ni demain soir. Ni le soir d'après. Ni jamais.

Simon baisse la tête. Il se replie. Repli stratégique. Concentration de l'énergie. Prélude à l'action. Mais non. Pas de coup de tonnerre. Pas d'éclairs. Rien. Rien que la foule qui passe et le palais Montcalm qui toise Simon. Alors il se remet en marche. À force de se répéter qu'il lui faut faire quelque chose, peut-être... Simon s'isole. Il va. Il s'en va. S'en aller. Aller de en. De ex. Se sortir de. Sortir de quelque part. Mais il faut être. Être quelque part. Si on va de quelque part, on va quelque part. Ou nulle part. Simon s'en va vers nulle part. Il voudrait aller quelque part. Mais il ne sait pas où c'est. Alors il marche et cherche un indice.

Ses pas le guident hors-zone. Il s'enfuit. À mesure qu'il s'éloigne du carré, il se calme. Il passe devant l'édifice du Parlement et continue vers Grande-Allée. Le Parlement, le lieu des discours. Les décisions auxquelles il ne participe pas. Qui quelquefois le concernent. Mais bon. C'est le jeu de société. Simon pense à Al et à ses sermons.

– J'veux pas parler, moi, j'veux chanter... Mon parlement, moi, c'est l'palais.

Du haut de leur colline
ils sont parlementaires
menteurs et beaux parleurs
les parlementeries
les parlementeries
les parlementeries

pis quand on va voter
on joue à qui perd gagne
à qui choisit prend pire
les parlementeries
les parlementeries
les parlementeries

pis après y décident
des bons pis des méchants
des pauvres et pis des riches
les parlementeries
les parlementeries
les parlementeries

peu importe leur couleur
pour eux on est toujours
des jouets en noir et blanc

En attendant, il marche. Il marche rue Grande-Allée et croise les habitants d'un autre monde. Les fourmis électriques à néon ne sont pas encore sorties. Ce sont les touristes qui finissent de souper et s'attardent. Ça arrive de partout. La rue se remplit de voitures. Des petites rues avoisinantes s'amènent des jeunes et des moins jeunes. Des plaines d'Abraham, on commence à revenir. On en revient des Plaines. On en revient de la défaite. On retourne chez soi, tout près ou dans les banlieues. Mais Simon ne va jamais aux Plaines. Pourquoi donc ? Pas son genre, peut-être. Trop vert. Le parc-cimetière lui suffit. Pas son monde. La rue Saint-Jean, c'est chez lui.

Simon est perdu. Ses pas l'ont perdu juste à côté de chez lui. Il voudrait oublier. N'importe quoi, tout. Surtout son rêve de guitare. Quelques minutes. Surtout le soir. Ce soir. Surtout la nuit. Quand la nuit vient. Comme un désespéré. Qu'en dis-tu Bélanger? Fuguer la nuit, ça sert à quoi ? Le désespoir et la désespérance.

« *Qu'éclats de verre et désarroi, je reviendrai soleil levant...* Pourquoi fuguer la nuit? Je ne fugue pas, pense Simon. Je ne peux pas fuguer. Fuguer d'où ? J'ai fugué d'la maison, j'ai fugué du centre d'accueil, mais là ? Ce s'rait plutôt le jour que je fugue. La nuit, la rue, c'est chez moi. »

Sans s'en rendre compte, Simon s'est arrêté. Devant le *Dagobert*. Des jeunes commencent à entrer. Bien mis. Point de culotte à l'envers. Des atours pour plaire. On n'a pas le temps de se connaître. Il faut se plaire rapidement. Il ne reste que l'apparence. Vêtements, bijoux, maquillage et gestuelle de danse et de séduction. Rien de profond, mais tout en direct. Chacun choisit chacune et vice versa. Les restants se ramassent les uns les autres lorsque les lumières s'allument à la fermeture. Ils auront bu et se contenteront d'un échange rapide avec un autre corps. Puis on oublie. Sinon le cœur lève. Le mal de tête est pire et l'âme est en charpie.

Simon regarde les désespoirs qui cherchent leur consolation. Les solitudes qui en cherchent d'autres. On cherche à plaire. À être aimé, désiré. S'imaginer vivre. En attendant de vivre. Simon prend une petite rue qui s'écarte de ce monde étranger. Ça lui donne du souffle.

– Ben content d'pas être de même…

En arrivant à la Coop d'habitation du Bon Pasteur, Simon pénètre dans la petite cour intérieure. Il se laisse aller. « *Débroussailler sa cour intérieure** », se dit-il. Dans la lumière orangée qui s'infiltre entre les arbres, des enfants s'amusent. Ils s'inventent des mondes. Des mondes mieux faits que le vrai, mais ils ne le savent pas. Les enfants de la basse-ville, eux, le savent déjà. Leurs jeux arrangent bien les choses du monde. Mais ici, les enfants sont plutôt à l'abri. Lorsque leur vélo les amènera un peu plus loin, ils verront tout ce qui leur était caché.

Simon ralentit. Il voudrait leur offrir une chanson. *Qu'éclats de verre et désarroi.* Mais il a coupé avec l'enfance. Il n'en connaît plus le langage. Il ne sait plus. Il a oublié en même temps que sa propre enfance. Il ne peut pas réagir. Incapable de s'arrêter. Ses pas l'ont conduit plus loin. Il les a dépassés et déjà les cris sont derrière. Il baisse la tête. Et les bras.

Après être passé entre deux édifices, il débouche sur le parc de l'Amérique française, juste en face du Grand Théâtre. Les voitures affluent des grandes artères et se cherchent des places de station-

* « De quoi j'me mêle? », *Zola à vélo*, Jim Corcoran, paroles et musique de Jim Corcoran, © Les Éditions Gog et Magog, a/s Intermède communications.

nement dans les petites rues. Des billets de spectacle à cinquante dollars, mais pas de stationnement à cinq. Il faut économiser.

Simon s'assoit sur un banc et regarde les gens arriver. Deux salles, deux spectacles. Deux styles, deux clientèles. Un seul argent. Celui que Simon n'a pas. Là non plus, il ne chantera pas. Il ne chantera jamais au Grand Théâtre. *Qu'éclats de verre et désarroi.*

Simon se relève. Pas de temps à perdre. Rien pour lui ici. Le banc est le même, mais si différent. Simon retourne chez lui. Il descend la rue Claire-Fontaine d'un bon pas. La hâte du retour à la maison, à la rue en fait.

Il marche. Encore. Et ses pas le conduisent. Encore. Vers la vitrine. La vitrine à la guitare. Encore. Simon pose sa main sur la vitre et approche son visage. Ses yeux secs et son ventre durci. Son esprit crie. Il se fouette en dedans. Il se bat. Il se donne une volée. Il se tord les tripes et se piétine l'âme. Mais il ne pleure pas.

À l'intérieur, l'homme à la bedaine de bière s'avance vers la vitrine. Il a vu Simon et le regarde durement. Il dresse le menton de deux ou trois coups secs. Mépris.

– Va-t'en, p'tit crisse, semble-t-il dire.

– Oui, j'm'en vas, pense Simon. Oui. Mais j'vas r'venir. J'vas avoir ma guitare, mon gros câlisse.

Alors Simon se lèche les doigts et, en s'en allant, il passe sa main sur la fenêtre, laissant des traces dans la saleté.

Alors retour à la case départ. Le banc. Le tour du monde est terminé. Retour à la maison. Simon s'assoit. Il est seul. Bernard est parti. C'est la pénombre. C'est sûr que Bernard est parti. Il faut qu'il soit rentré avant la noirceur.

Alors Simon ne parle pas. Il ne parle qu'à Bernard et Bernard n'est pas là. Il s'ennuie de Bernard. Il pense à Bernard. Il se demande qui est Bernard. D'où il vient. Ce qu'il a réellement. Où il est dans sa tête et dans son trench.

Alors la musique monte en Simon. Elle naît tout au fond. Puis elle se répand de son ventre à tout son corps. Les pieds se mettent à rythmer. La tête commence à balancer. Puis les mains s'agitent sur les genoux.

Alors dans la tête de Simon naissent des notes de guitare. Et des mots.

Je fuis ma vie par en avant / bientôt peut-être il n'y aura plus / qu'éclats de verre et désarroi / je reviendrai soleil levant

Alors dans le vestibule terne de sa maison, Bernard remet la clé dans la poche de son trench en tremblant et en hochant la tête. Il est tard. Il fait presque noir. Avec un dernier hochement, il ouvre la porte et se réfugie dans son antre.

Simon, sur le banc, continue à chanter, le bras gauche étiré pour toucher les cordes de la guitare, la main droite qui martèle les accords. La musique s'étend dans tout son corps et sa voix se place, dans le ton. Sur la scène, l'éclairage tamisé. Le *follow spot* sur lui. Dans la salle, le silence. Public attentif.

Sur la rue les cœurs plissés / qui cherchent en vain quelqu'un d'autre / qui cachent leurs yeux humides / sous la pluie ou sous les rires / et leurs pas se font plus lourds / lorsque tombe le rideau / et qu'arrive la fin du show / la fin du show

Bernard retire son trench et le laisse tomber sur une chaise. Bernard a retiré son trench. Il regarde autour, pour renouer contact. Il fixe la table où traînent, pêle-mêle, maelström de son âme, des objets divers, papiers, vaisselle et autres. Il cherche quelque chose.

Le corps se cherche. Bernard cherche quoi faire. Retrouver ses esprits, c'est trop.

Simon monte le ton. En quelques coups de grosse caisse, quelques étincelles de tambourine, mais surtout des mots. Des mots à crier.

Je fuis ma vie par en avant / bientôt peut-être il n'y aura plus / qu'éclats de verre et désarroi / je reviendrai soleil levant

Bernard tourne en rond. Il regarde. Il touche. Il appréhende. Chaque soir, il recommence. Il découvre de nouveaux mondes chaque fois. Ou redécouvre le même monde. Son corps, lui, le connaît bien, ce monde.

D'autres guitares et une basse ont rejoint Simon dans sa tête et ses tripes. Il martèle la musique sur ses cuisses, les mains rougies de chaleur et de clameurs. Le public s'est levé. Des voix se joignent à la sienne. Simon ne se donne plus. Il est donné.

Maintenant les âmes peuvent / se terrer ou s'exiler / sans savoir si elle existe / celle qui peut combler le vide / ou celui qui fait rêver / que plus haut il fait soleil / que plus loin il y a la mer / il y a la mer

Bernard s'approche du comptoir et ouvre le robinet d'eau chaude. Il laisse couler. Il prend une tasse sale sur le comptoir et un pot de café instantané ouvert. Il le penche et fait tomber la poudre brune. Il en tombe beaucoup. Beaucoup trop. Bernard ne voit rien. De la même manière, il met une poudre blanche en guise de lait. Il remplit la tasse d'eau chaude. Des grumeaux se forment mais Bernard ne voit pas.

Et Simon continue à chanter. Fort et rauque. À la limite du cri. Et le *band* l'accompagne. Le public crie. Simon chante, guitare en mains, et il frappe sur ses cuisses, et plus fort encore.

Je fuis ma vie par en avant / bientôt peut-être il n'y aura plus / qu'éclats de verre et désarroi / je reviendrai soleil levant

Bernard s'approche de la table et, poussant nonchalamment quelques objets, il prend un pot de pilules ouvert. Il en met deux dans sa bouche et prend une gorgée de café aux grumeaux pour s'aider à avaler. Il avale. Il avale sa vie. Il s'enfonce. Il retourne à lui-même. Dans la pénombre de la nuit, sur une surface d'eau calme, une goutte tombe et ses ondes concentriques s'éloignent en même temps…

… que la musique s'évanouit. Autour de Simon, les âmes se taisent.

En Bernard, même le silence s'est tu.

Chapitre IX

SUR LE BANC, Bernard n'est plus. Sur le banc, personne n'est. C'est la nuit. Et souvent, la nuit, le banc est vide. Seul. Laissé à lui-même. Peut-être qu'il garde une place pour Bernard. Peut-être qu'il trouve les hivers longs. Dans sa remise, son hangar, son garage. Comme Bernard qui passe l'hiver dans sa chambre. Peut-être que d'année en année, ce n'est pas le même banc. Peut-être que ce n'est pas tout à fait le même Bernard. Sûrement. Ni le même banc, ni le même Bernard. Pourtant ils se retrouvent comme s'ils étaient les mêmes.

Dans sa chambre, Bernard dort. Dans son lit. Sous la couverture. Malgré la canicule. La couverture ne protège pas que du froid de l'hiver. Elle protège tout court. De tout et de rien. Elle isole. Elle marque une limite à l'espace. Ce qui est sous et ce qui est à l'extérieur. Comme les pieds qui dépassent. Alors Bernard se tortille et tire la couverture à gauche, à droite, de la main ou du pied. Sans se réveiller. Puis il se love. La doudou est assez grande pour envelopper son corps.

Et puis, la chambre donne sur la cour. Pas sur la mer, ni sur le ciel. Ni sur la rue. Il y a peu de bruits. Il faut que quelqu'un crie pour que Bernard l'entende. Quelqu'un qui crie de douleur. Comme une sirène, par exemple. Une sirène qui hurle « quelqu'un a mal » ou « quelqu'un fait mal ». Alors Bernard, du fond de sa nuit, entend. Il entend et se trouble. Alors le cou s'étire sur l'oreiller. Alors les mains se crispent sur la couverture et les genoux se replient sur le ventre. Le corps se rassemble sous la couverture tandis que le cri s'éloigne, que le crieur se meurt. Au loin.

♫

La nuit, Simon traîne. Il est une traînerie. Il ne sert à rien et il traîne. Jusqu'à ce que son corps réclame du repos. Alors il le laisse tomber, dans une piaule, dans un repaire ou un squat. Ou sous l'autoroute. Ou dans un recoin du mail. Souvent il passe devant le banc. Il regarde l'absence de Bernard. Il ne pense pas à l'hiver et à l'absence du banc. Il connaît à peine l'hiver de la rue. Et il vit de chaleur. De canicule. Il vit aujourd'hui. Il vit cette nuit, en fait. Et le banc est vide. Il s'assoit. La vie est tranquille. Il y a du monde qui circule. Il est encore tôt. Les esprits ne sont pas éméchés, les cœurs, pas encore effilochés. Il n'est que vingt-deux heures. Mais la semaine, c'est plus calme. Simon regarde les crèmes glacées. En cornets ou en petits plats, que l'on mange avec des cuillères de plastique de couleur. Plusieurs boules, plusieurs couleurs. Mais pas le cœur à quêter, pas le cœur à chercher sa pitance. Pas même pour de la crème glacée.

Simon songe. Les songes, c'est moins beau que les rêves. Simon n'est pas rêveur. Ses pensées errent pendant qu'il s'arrête. Ça le dérange. Alors il se lève et erre rue Saint-Jean pour compenser. Pour s'activer. Simon est nerveux. Il est sur les nerfs. C'est moins agréable que d'être excité. Simon n'est pas excité. Il se défoule dans ses pas. La musique ne vient pas. Les mots non plus. Et le silence est un tumulte chaotique dans sa tête.

Pourtant, il cherche. Il regarde des CD dans une vitrine. Des CD usagés. De vieux vinyles, aussi. Il observe des instruments et des feuilles de musique. Puis il marche. Puis la guitare vient à lui. Elle le voit. Il est devant la vitre. Mais il n'a pas envie de sourire, et elle n'a pas envie de jouer. Simon n'entend rien. Ni de la guitare, ni de son ventre. La guitare semble triste. Peut-être qu'elle s'ennuie elle aussi. Ce soir, ils se quittent sans se parler.

Simon se détourne. Il s'en veut. Culpabilité. Il a honte de lui-même vis-à-vis de sa guitare. Sa guitare. Qu'il a abandonnée. Il sombre. Dans l'abandon de la musique. Dans le silence des mots.

Il fait un pas. Puis un autre. Et encore un. Il se ressaisit. Il secoue sa crinière, passe les mains sur son visage, accélère le pas. Il s'éloigne du malaise. Il y puise des forces. Il prend une petite rue et descend vers D'Aiguillon, vers Richelieu, vers Saint-O. Et là, il longe les maisons. Des maisons dont les portes donnent sur des marches qui tombent sur le trottoir. De sa poche, il sort un vieux joint oublié qu'il allume et fume goulûment. Il refait ses forces. Il fait le plein. Il se gèle l'âme. Et les nerfs.

Après, il peut remonter rue Saint-Jean. Avec son estime. Sans honte. Le cœur dans son coin. Mais le silence demeure. La musique ne monte pas et les mots ne nomment même pas le silence. Simon marche. On appelle ça une âme en peine. Mais même la peine n'y est pas. Le cœur lui-même s'est tu. Simon s'absente à l'intérieur. Il s'absente de lui-même. Et il marche.

Au carré, les voitures circulent lentement. Des âmes seules qui cherchent des âmes sœurs. Des autos s'échappent des musiques à grands coups de basses et de rythmes de danse. On ne se parle pas, on se crie après. On monte le volume pour remplir le vide des mots échangés. Puis on crie pour espérer s'entendre. Si on s'écoutait, on arrêterait la musique. Le trafic aussi. On s'assoirait sur un banc et on se regarderait dans les yeux. On n'aurait pas besoin de mots pour sentir, mais on en dirait quand même, pour le plaisir. Ce serait de beaux mots.

Les taxis alignés attendent les corps déchaînés qui ne pourront attendre la chambre pour s'étourdir l'un de l'autre. Des corps qui se sont frôlés dans un bar, qui se sont touchés par des mots hurlés au-delà des musiques stridentes, des cœurs qui se sont crié des mots inaudibles sans s'écouter. Des corps qui veulent se déchirer, se dévorer mais qui, là, dans le taxi, sont aux prises avec le silence et la gêne. La conquête est acquise mais il faut attendre un peu. Alors on se touche ou on se parle. On touche le corps et on parle aux oreilles. Et on pousse son âme dans un coin.

Devant le palais Montcalm, les jeunes s'étourdissent à leur façon, qui n'est pas pire qu'une autre. Quelques-uns retourneront dans leur banlieue la tête éméchée et le cœur en révolte. D'autres regagneront les recoins qui leur servent d'abri. Certains tomberont là où ils seront. En attendant, ils échangent et, plus la nuit avance, moins ils s'entendent. À l'image des autres, même s'ils se veulent autres, ils s'isolent et se ferment. Ainsi roule la nuit.

Simon rejoint le groupe au pied des marches et Cathy s'approche de lui. Simon n'a pas l'âme à la fête. Simon n'a pas l'âme.

– Tiens, te v'là, toi, lui lance Cathy.

– Salut!

– T'arrives?

– J'fais juste passer...

Cathy se colle sur Simon. Elle frôle ses seins sur sa poitrine et glisse sa main sur ses hanches. Elle approche son visage du sien et le regarde dans les yeux.

– Tu perds ton temps, lui dit Simon.
– C'est quoi?... T'aimes pas ça?
– J'ai pas la tête à ça...
– C'est pas ta tête qui m'intéresse...
– Décolle...
– C'est ça ton problème... T'as trop d'tête... Tu t'amuses pas...
– J'ai d'autres choses à faire.
– Marie, par exemple?
– Marie, c'est pas ma blonde.
– Non, mais a t'hait pas, par exemple.
– C'est son problème.
– Moi, le mien, c'est toi... Je r'commencerais ben comme l'autre soir.
– Oublie ça.

Simon pousse un peu Cathy qui résiste.

– On se r'voit plus tard?
– J'pense pas... Laisse-moi tranquille.

Simon se dégage et s'éloigne. Il tourne autour du groupe. Aucune envie de parler à personne. Aucune envie d'être là. Aucune envie. Que des nerfs dans les jambes et une pression dans le ventre.

Du recoin des toilettes s'approche un type, flanqué d'un grand costaud portant des tatouages sur chacun de ses gros biceps. Le revendeur vient vers Simon et l'autre demeure en retrait.

– T'as-tu besoin de que'qu'chose?
– Non, non, c'est ben beau d'même.
– J'ai d'quoi d'spécial... pas trop cher...
– Pas à soir...
– Comme tu veux... C'est rare qu'un gars r'fuse une tournée gratos!
– J'ai d'autres choses à faire.

Le revendeur se mêle à d'autres jeunes et quelques instants plus tard, il accoste un autre gars qui semble déjà dans un monde que lui-même ne reconnaît plus. Simon se détourne. Il cherche le gars de la Beauce. Il est vingt-trois heures. Pas minuit. Pas l'heure du crime. Juste vingt-trois heures. L'heure des petits larcins. Ce n'est pas un crime passionnel qui se trame. Ce n'est pas une tragédie. Pas même un drame. Juste un petit vol. Sans effraction, même. Juste une petite coche mal taillée. Bien ordinaire.

Une voiture s'arrête au bord de la terrasse du carré et un gars en descend. Regard à gauche, regard à droite. Claquement de portière. L'auto repart, sans se faire remarquer. Le type s'approche de Simon qui ne le voit pas venir. Il lui met la main sur l'épaule et Simon sursaute brusquement.

– Les nerfs, mon pit, lui dit le jeune Beauceron.

– J'ai juste fait le saut.

– On y va tu-suite... Viens-t'en.

La rue Saint-Jean traîne son lot de cœurs qui s'étiolent et d'esprits qui s'effritent. Au coin d'une rue, un couple s'engueule. Dans l'entrée d'un magasin, un homme est couché par terre. Plus loin, une fille en talons hauts et jupe serrée se tortille en longeant les commerces. Un groupe de jeunes fait la fête et chante et gueule. Simon et le Beauceron sont à leur affaire.

Alors la guitare apparaît à Simon. Dans la vitrine, elle se repose, inerte. Ou bien elle est morte. Alors Simon s'arrête. Il regarde. Il la désire. Mais aucune musique ne vient.

– C'pas l'temps d'magasiner, lui lance le Beauceron.

– Ouais!

– Y a des affaires pas pire dans ces magasins-là.

– C't'une gang de voleurs!

– Bof, réplique le Beauceron en riant... C'est là qu'va se r'trouver c'qu'on va chercher!

– C'est des voleurs pareil.

– Ouais ben en attendant, on a une job à faire...

Par une petite rue, ils entreprennent la descente. Simon se referme. La carapace se déploie. L'autre bavarde. Sans arrêt. Il raconte ses coups antérieurs. Les bons, les moins bons. Il est le héros de ses histoires. Il se donne un rôle. Le bon. Lorsqu'ils atteignent l'escalier Lavigueur, le Beauceron allume un joint. Pour la détente. Ils fument dans les marches. Dans le bois. L'odeur du pot se mêle à celle des arbres et des plantes, elle-même accentuée par l'humidité. Simon s'arrête au palier. L'autre fume. Le silence remplit Simon. Plus loin que les bruits du sous-bois, celui, plus sourd, de la ville. L'ensemble des vies humaines, des vies intérieures et des craquements de cœur, toutes les voitures, les moteurs et le reste. Comme un seul bruit. Lourd et profond. Jamais le silence, le vrai silence, et pourtant pire que le silence.

Quelques mots sur la rampe. Pour lire, Simon frotte une allumette. « *Suivre la lumière et s'y brûler.* » Au gros crayon feutre noir. Indélébile. Voilà ! se dit Simon. Alors il sourit. L'autre ne voit pas. Ne comprend pas. Et Simon laisse passer.

– Envoye... Éteins ça, là. Tu disais qu'on avait d'l'ouvrage, s'impatiente Simon.

Au pied de l'escalier, ils longent un mur de béton. Une usine abandonnée peut-être. Aux fenêtres grillagées. Tout au moins moribonde. De l'autre côté, dans le sous-bois, des ruines de fondations. D'anciennes vies enfouies dans la falaise. Des arbustes ont tout envahi. Ramenant des oiseaux et des écureuils. Et les chats du voisinage qui viennent rêver de vie sauvage et retrouver leur instinct de chasseur. Et quelquefois des citadins qui viennent se réfugier.

Après avoir longé des maisons délabrées et d'autres qu'on vient de rénover, ils arrivent à un stationnement où dorment quelques vieilles voitures. Dans un coin, il y en a une qui est venue y mourir, dirait-on. Personne dans les rues, personne nulle part. La nuit, la vie de Saint-Roch est plus loin. Sur Saint-Joseph. Même lorsque Simon et le Beauceron traversent le boulevard Charest, tout est calme. Quelques voitures roulent lentement. Quelques piétons s'en vont, s'en viennent, repliés sur eux-mêmes. On est à l'écart. De la Couronne, c'est plus loin.

Lorsqu'ils approchent de Saint-Joseph par une petite rue, le Beauceron s'excite un peu. Le joint l'avait calmé, mais là, il se remet à parler sans arrêt. Simon est renfrogné. Crispé. Il se laisse entraîner. Il repousse ses résistances. Il avance. Dans le noir, mais il avance.

– Dans la Beauce, on faisait des bonnes passes. Tu chècques les gens qui vont à leur chalet pis tu vas faire un tour à leur maison pendant la nuit. Y en a un paquet que c'est écrit qu'y a un système d'alarme, mais qu'y en a même pas.

– ...

– Pis y a du monde d'la ville qui ont acheté des vieilles maisons dans les rangs. Y s'en servent comme chalet. L'hiver, on y va en skidoo. Y ont des systèmes de son pis des télés. Ça s'vend ben.

– ...

– Une fois...

Simon n'écoute pas. Il regarde les gens qui déambulent rue Saint-Joseph. Des étranges, des étrangers, des gens d'ailleurs dans leur tête, des exclus, des reclus. Presque tous des gens seuls. Tout au moins des âmes seules, même si leur corps frôle celui des autres.

– Chècque-toi, on arrive, lui dit le Beauceron.

– …

– Le gars avec le char va arriver dans pas longtemps. Le temps de mettre le stock su'l'bord d'la porte.

– …

– R'garde, c'est là. On va juste passer d'vant pis r'venir. Question de voir comment ça va.

– C'est quoi au juste qu'on va ramasser ?

– C'est plein de p'tits locaux où y a du monde qui font d'la musique. Le gars, y leur loue ça pas trop cher pis y peuvent laisser leur stock là pis pratiquer quand y veulent.

– Pis qu'est-ce qu'on prend ?

– Y a un local qu'on a réussi à avoir un double d'la clé. C'est facile, y a plein d'monde qui circule ici. Fait qu'on va s'payer un kit complet. Des guitares, des amplis, tout le kit. Tout c'qu'on peut, tant qu'y a d'la place dans l'char.

Alors Simon s'arrête. Figé. Gelé. Ça casse en dedans. Ça tombe de haut. Il est étourdi. Il tremble. Il a peur. Peur de lui-même.

– T'es sérieux ? On va voler d'l'équipement d'musique ?

– Surtout les systèmes de son… c'est plus payant.

– On va voler des musiciens ?

– Ben quoi ?

– Rien… rien.

– Envoye. Ça s'ra pas long, tu vas voir.

Simon n'avance plus. Simon ne va plus. Il n'a plus où aller. Il ne peut aller nulle part. Il ne peut même pas reculer. On ne recule jamais. On arrête et on change de route. C'est tout. Les pas faits restent faits. Ils laissent des traces et, même en reculant dedans, on ne peut les effacer. On peut juste faire croire. Simon ne peut reculer. Il peut juste s'arrêter.

– Non…

– Quoi non ?

– Non… J'peux pas…

– Qu'est-ce qui t'prend ?

– J'peux pas !

– Qu'est-ce qu'y a?

– J'peux pas voler des musiciens.

– Qu'est-ce qu'y a?

– J'peux pas!

Simon n'est plus. Il est hors de lui. Au sens strict. Ou l'inverse. Il est lui-même plus que jamais. Le Beauceron aussi est hors de lui. Il s'énerve.

– Ben quoi? C'est quoi l'problème?

– ...

– Envoye, c'est juste une job comme une autre.

– J'peux pas! répète Simon, le regard fixe.

– Calvaire, tu m'avais dit qu'tu m'aiderais... J'ai besoin d'bras pour charrier le stock...

– J'peux pas!

– C'est quoi l'problème? Rien qu'parc'que c'est des musiciens? On s'en câlisse-tu que ce soit des musiciens! Ça ou ben d'autre monde! Y sont probablement assurés en plus.

– Non, j'veux pas.

– Tabarnac, tu fais dur, toi, crisse! Avec ton p'tit cœur d'adolescent! J'aurais dû y penser... Crisse de moumoune! T'étais déjà d'même dans' Beauce. J'pensais qu't'avais fait un boute!

– J'veux pas.

– Calvaire!

Le Beauceron pousse Simon par l'épaule et Simon tangue. Son corps n'offre aucune résistance. Le Beauceron le prend par les bras et le brasse. Simon se laisse faire.

– Réveille, hostie! Réveille!

Rien. Rien n'y fait. Simon n'est plus. Il s'est arrêté quelque part et ne suit plus le monde qui continue d'avancer. Le Beauceron le bouscule. Rien n'y fait. Rien. Le Beauceron le brasse davantage. Rien. Il lui donne une bonne poussée et le corps de Simon part de côté. Il capte la poussée et, avec l'élan, suit sa propre trajectoire. Il trébuche et roule par terre. Il roule et s'arrête sec au pied du mur de l'édifice de béton.

– J'vas m'rap'ler d'toi, mon tabarnac!

Mais le corps de Simon n'entend même plus. Il a roulé par terre. Il a roulé jusqu'au mur. Il s'est arrêté sur le mur. Et là, il est roulé. Replié sur lui-même. Les genoux sur le ventre et les mains sur la tête.

Comme Bernard sous la couverture. Mais sans couverture. Seul avec le trottoir. Sans le silence de la chambre. Avec les cris du Beauceron qui ne l'atteignent presque plus.

Le Beauceron fait les cent pas en sacrant après Simon. Il passe tout près et lui jette un regard dédaigneux. Il crache par terre. Il lui donne un coup de pied dans les jambes.

– Minable!

Rien. Simon ne bouge plus. Simon n'est plus. Quelqu'un vient sur le trottoir. Un étranger.

– Y a un problème? demande-t-il au Beauceron en montrant Simon.

– C'est quoi ton problème, toi? lui répond le Beauceron. On t'a-tu demandé que'qu'chose?

– Les nerfs, mon pit! J'voulais juste t'aider… Arrange-toi donc tout seul!

Il s'en va et Simon reste. Simon reste couché, roulé sur le trottoir. Il est enfoui.

Une auto se gare près du trottoir. Lentement. Sans se faire remarquer. Et le Beauceron y monte. Ça gesticule à l'intérieur. Ça parle fort. Puis l'auto démarre. Crissements de pneus sur l'asphalte. Bruit de moteur qui force. L'essence brûlée. Et Simon sans voix. Et Simon sans essence. Par terre. Par terreur.

Lentement les doigts se délient, les pieds se démêlent, le cœur se dénoue. Lentement, l'âme revient au corps. Lentement, le corps reprend le dessus. Simon bouge. Les articulations ne sont pas bloquées. Le sang n'est pas coagulé. Le béton est toujours dur et le monde se rapproche.

– Ça va aller? demande une voix douce. Ça va aller?

La voix est lointaine. Simon s'y accroche. Il veut répondre mais n'y arrive pas. Il déplie les jambes et s'adosse au mur de béton. Ses yeux parlent. Ses yeux parlent liquide. Quelques gouttes. Alors, il réagit. Il s'essuie les yeux et les ouvre. Le monde est là. Autour. Partout. Une fille le regarde.

– J'ai vu l'autre te pousser, dit-elle.

Simon voit une fille aux souliers à talons hauts rouges et brillants. Des bas de nylon rouges. Une courte jupe de cuir jaune. Et juste une camisole. Jaune elle aussi, mais plus pâle, qui souligne la taille et les seins comme la dorure d'une carte d'invitation. Des tas de bracelets aux poignets, une chaîne de rêve d'or au cou. Le visage recouvert du masque coloré des crèmes et des poudres qui permettent une distance avec le monde. Des yeux bleus gommés de bleu et soulignés de lignes noires. Une crinière platine qui cache sa couleur d'origine. Une bouche mauve qui offre un sourire.

– Ça va aller ? demande-t-elle encore.

Simon s'appuie sur le mur. Il s'appuie sur le monde. Il se relève. Il regarde. Il entend.

– Oui, oui… Ça va.

– T'as besoin de que'qu'chose ?

– Non… non… merci.

Elle sourit à Simon et s'éloigne. Elle retourne rue Saint-Joseph. La pause est finie. Travailleuse de nuit.

Les pas vont reprendre Simon. Ses pas vont le reprendre en mains. En pieds. Simon reprend la route. La rue. Le trottoir. Il longe les vitrines de la rue Saint-Joseph mais ne voit ni dedans ni dehors. Ses pas l'entraînent, et le repaire sous l'autoroute Dufferin l'accueille. Le rebord de ciment lui sert de refuge, le bruit sourd de la ville, de berceuse, le halo urbain, de veilleuse, son corps, d'abri. Simon est replié. Il peut reposer en paix. En attendant. Rien.

♫

Dans son lit, Bernard se retourne. Une sirène l'a rejoint. Elle est passée tout près. Presque à l'intérieur de son corps. Le corps est replié, ramassé. Les pieds et les mains étirent la couverture où le corps se love. Bernard dort.

Chapitre X

DANS le soleil brûlant, Bernard est assis sur son banc et laisse la vie s'en aller où elle veut. Il s'en fout. Ça ne le regarde pas. Ce n'est ni le ciel, ni la cour, ni la mer. C'est un monde aux règles multiples et complexes. Trop. Ça n'intéresse pas Bernard. Au lieu d'errer dans le monde, il erre dans sa tête. Il se fréquente lui-même et en a assez. Il s'impose peu de règles et c'est trop. Quelquefois, il violenterait son corps pour qu'il soit plus autonome. La mécanique demande encore une certaine supervision. Pourtant, il fait bien son possible, le pauvre vieux corps. Parfois, Bernard le supplie. Parfois, il l'encourage. Il voit bien qu'il vieillit, qu'il est plus lent, qu'il a peine à se lever du banc. Il a mis tant d'efforts à se libérer de ce corps, à le laisser faire, à lui faire confiance. Et déjà, il est en perte de vitesse. Pourtant, Bernard ne veut pas revenir. Il ne s'en va pas. Il est ailleurs. Et il ne veut pas revenir.

Mais il ne sait pas ces choses-là. Il laisse faire. Laisse glisser. Depuis longtemps, si longtemps. Il s'est habitué. Comme aux moqueries des passants. Comme aux regards dédaigneux. Au début, il a appris à les accepter, à les tolérer. Puis, il a cessé d'entendre. De voir.

Il est assis sur le banc et regarde le trottoir devant lui. Il est envahi de pas différents. De pieds et de chaussures. De bottes et de sandales. Qu'il ne voit pas. Il fixe. Non, ce n'est pas lui qui fixe. Ses yeux fixent. Ses yeux fixes.

Simon vient s'asseoir près de son ami qui ne sait pas qu'il est l'ami de Simon, pas plus qu'il ne sait qu'il a un ami. Savoir, c'est une activité consciente. Souvent, en tout cas. C'est vrai que quelquefois, on ne sait pas qu'on sait. Alors peut-être que sans savoir qu'il sait, peut-être que Bernard sait qu'il a un ami. Certains disent sentir. Bernard sent peut-être qu'il a un ami. Comme il sent le danger. Mais il n'a pas de tic pour le dire. Peut-être qu'il est content sans qu'on le sache.

Simon parle à Bernard. On ne sait pas ce que Bernard comprend, pas même ce qu'il entend. Ça arrange Simon. Se vider le cœur sans témoin. Ça lui fait quelqu'un à qui parler qui ne répétera pas ce qu'il entend. C'est différent du gars qui l'a pris sur le pouce. Lui, il comprenait mais, après le voyage, il disparaissait pour toujours. Alors... Mais il faut oublier ce type. Il s'est passé quelque chose avec lui que Simon doit oublier. Et puis il y a eu cette autre nuit avortée. C'est une vie antérieure. On efface à mesure. Et puis, Bernard, on ne sait pas s'il a du jugement. Juge-t-il les autres? On a souvent peur du jugement des silencieux. Mais pas de Bernard. La plupart jugent Bernard. Du haut de leur indifférence camouflée en bonne conscience. Alors, en passant devant la Caisse populaire, certains achètent *La Quête*, un journal d'itinérants, un journal itinérant. Un ou deux dollars. Pas chère, la conscience. Ou bien, ils donnent de l'argent à Simon qui chante un peu plus loin. Pas chère la rédemption.

Simon quête juste à côté du banc. Il chante et il encaisse les rédemptions. Mais les gens sont au-dessus de leurs affaires. Ils ne donnent pas. Ils se détournent. Baissent les yeux. Le menton. Alouette. Ils s'abaissent. En se cachant derrière des mèches de cheveux ou des verres fumés miroir, ils s'abaissent. Parce qu'ils se cachent. Ils n'affrontent pas le regard de celui qui quête. Vive les quêteux aveugles! Le regard des quêteux porte une accusation. En fait, le quêteux n'accuse pas. On se sent accusé. Coupable. On refuse le partage des richesses. On évite le quêteux. Il nous renvoie une image négative de nous-mêmes. Il nous pique là où on ne le veut pas. La gêne, la honte de ne pas partager. Puis on passe tout droit. On l'a échappé belle. On se dit qu'on ne peut pas tout lui donner, ou en donner à tous ceux qui quêtent, qu'on en donnera la prochaine fois, qu'on en a donné l'autre jour, enfin l'autre fois, on ne sait plus trop. Puis le ton monte et on se dit qu'il pourrait faire un effort. Qu'il profite du système, qu'il doit avoir du B.S. en plus. Puis, on revient de sa colère et on prend le quêteux en pitié. On se dit qu'il souffre. Qu'on le comprend. Que c'est triste. Et là, on s'aime bien. On est capable de bons sentiments. Donc on est bon. Et il est loin derrière. Et on regarde un handicapé traverser la rue avec difficulté et nos yeux se mouillent. Là, on est vraiment certain d'être bon. Ce signe ne trompe pas. On est sauf. Rendu à la maison, on est tout joyeux de rejoindre les enfants, qu'on prend dans nos bras. On peut passer à autre chose. La misère du monde est un autre monde.

Aujourd'hui, c'est tranquille. Les consciences sont en paix. Les gens ne donnent pas. Simon s'éloigne le long du mur de l'église-bibliothèque. Une main dans la poche de son jean et l'autre qui laisse traîner sa veste sur le trottoir. Il croise des gens qu'il ne voit pas. Il est tout en dedans. Et nulle part. Et nul. Il se sent nul. Sans énergie. Il fait chaud. Le soleil est de plomb. Et son âme aussi.

Ses pas le guident. Encore. Ses pieds s'avancent un à un et s'en vont. Ou bien ils vont, tout simplement. Ni de quelque part. Ni vers quelque part. Rue Saint-Jean. Côte du Palais. Ça doit être l'errance. Et l'errance a quelquefois son propre but. Elle entraîne celui qu'elle enveloppe.

Simon entre à l'hôpital Hôtel-Dieu. Il va directement aux ascenseurs. Le treizième. La mort rôde. Il arpente le passage devant les portes ouvertes. Personne ne se préoccupe de lui. Des bonshommes et des bonnes femmes en bleu, en vert et en blanc. Et puis quelques personnes normales qui entrent et sortent des chambres. Qui entrent avec des fleurs et sortent avec des pleurs. La mort rôde. Simon la sent toute proche. C'est la première fois. Son pas est mal assuré. Ses lèvres sont serrées. Son corps est raide. La gêne. Une petite gêne de n'être pas à sa place. Et en même temps sentir que c'est la meilleure place. Près des gens qui s'en vont. Ils sont seuls, c'est sûr. On dit qu'on est seul devant la mort. Mais quelquefois, il y a du monde autour. Des enfants et des petits-enfants. Des amis. Ça n'éloigne pas la mort. Ça donne du souffle pour la rencontrer.

Simon avance lentement dans le couloir. Il s'arrête seulement devant les portes ouvertes. Trois personnes debout près du lit où on ne voit pas le malade. Puis un homme seul qui pleure à côté d'une vieille dame endormie. À l'entrée d'une chambre, les enfants discutent de traitements, d'acharnement thérapeutique, de morphine. Simon continue sa route sur le chemin des morts annoncées. Puis une chambre où se meurt un solitaire. Une chambre à deux lits dont l'un est vide. Et un râle profond. Simon entre dans la chambre. Un homme semble dormir. Il dort en attendant la mort. Paradoxe. On voudrait vivre le plus possible avant de mourir et pourtant, souvent, on dort beaucoup avant de mourir. On dort et on souffre. Vaut mieux dormir. Et la souffrance réveille. Alors on prend de la morphine, puis on dort. Paradoxe. Puis à un moment donné, on meurt.

En fait, le moment n'est pas donné. Il arrive, c'est tout. Quelle vie. Quelle mort.

L'homme râle. Sa respiration est haletante, et Simon s'approche du lit. De chaque côté du corps, des bras chétifs sont allongés. La peau ratatinée recouvre un squelette fragile et le réseau des veines expose sa complexité bleutée. Des taches de bleu et brun et jaune et vert marquent l'intérieur des bras. Comme au carré. Héro. Hématomes. Hécatombe.

Lentement, la poitrine monte et se gonfle. Lentement, elle baisse et se dégonfle. Puis, elle recommence. Quatre ou cinq fois. Enfin, elle reste suspendue. Plus rien. Le temps devient long. Simon retient son souffle. Encore et encore. D'un coup, la poitrine se soulève d'un geste brusque et urgent. Elle aspire. Elle aspire tout. La vie elle-même. L'homme rattrape sa vie par la queue au moment où elle se glisse hors de lui. Simon reprend son souffle. Il tremble un peu. Les yeux mouillés. Puis le rythme régulier de la respiration. Simon se calme. Puis une nouvelle attente, suspendue. Simon retient son souffle. Sentiment d'éternité. Puis une grande respiration, profonde. Et Simon reprend son souffle.

Simon tire un fauteuil près du lit et, comme il vient pour s'asseoir, il constate que l'homme a les yeux ouverts. Il n'a pas ouvert les yeux. Ils se sont ouverts. Les yeux le regardent. Simon fige et reste penché, dans l'attente. L'homme respire profondément et regarde Simon.

– Ça va aller, lui dit Simon, mais l'homme ne bouge pas.

Simon se redresse et s'en va au pied du lit, et l'homme le suit des yeux. Simon revient et prend sur la table une débarbouillette humide. Quelques flashs. Maman qui soigne. Quelques images subversives. Parce qu'elles viennent remettre en question. Elles viennent piquer l'âme au vif. Elles sont à contre-courant. Issues de la mémoire détestée. Simon veut que la mémoire soit une faculté qui oublie. Pour chasser les images, il agit. Il passe la débarbouillette sur le front de l'homme qui ne réagit pas mais qui fixe Simon.

– Attendez… Je vais la rafraîchir.

Simon va à la salle de bains pour rafraîchir la serviette. Il n'y a rien de personnel dans la salle de bains. Pas de brosse à dents ni de peigne. Rien que des serviettes blanches et un verre transparent. Aseptisés. Le noir, c'est pour après. La mort n'a rien de personnel. La mort du vieil homme se fera sans problème. Cette fois, personne ne sera dérangé. Sa mort ne dérange personne. Alors Simon se dit qu'il pourrait bien mourir aussi. Alors il rince la débarbouillette en se jetant un regard dur dans le miroir. Alors il revient vers l'homme qui a refermé les yeux. Alors il lui humecte le front et les lèvres. Les lèvres gercées. Les lèvres qui n'embrasseront plus jamais.

Simon fait le tour de la chambre. Rien dans la garde-robe. Rien d'autre qu'une chemise et un pantalon. Rien dans le tiroir qu'un porte-monnaie. Pas de fleurs. Pas de cartes. Pas de prompt rétablissement. Pas même de rétablissement. Simon s'assoit dans le fauteuil et surveille la respiration. Il compte le nombre de respirations avant l'arrêt. Il compte les secondes suspendues avant le retour à la vie. Et puis le compte devient comme celui des moutons et Simon s'endort, blotti dans la mort à venir, dans la solitude du moment.

La chambre reste silencieuse et le temps passe. Les secondes s'envolent sans marquer le tempo de la vie. L'homme dort et Simon dort à côté de l'homme. Leurs respirations se sont adaptées. Ou plutôt, celle de Simon s'est donné le rythme de celle de l'homme. Elle la suit et reste suspendue avec elle. Sur la corde raide, tombera, tombera pas.

Lorsqu'une infirmière bouge à côté de Simon, il se réveille. Elle vient faire un tour. Soigner le malade. C'est une garde-malade, disait-on avant. Lui apporter des soins. Il n'y a presque plus rien à faire pour le corps. Il s'en va rapidement. On peut seulement soulager la douleur. Peut-être accélérer le processus en donnant plus de morphine.

– Ce serait si simple, se dit Simon.

Juste une petite valve à tourner. Et le doux liquide s'insinue dans le corps endolori. La respiration reste suspendue. Pour toujours. Le temps s'arrête. La machine s'éteint. Mais on n'a pas le droit.

L'infirmière se contente d'augmenter la dose, de tourner la roulette, lorsque la douleur réapparaît. Quelques gémissements suffisent. On tourne. Le cœur finira bien par lâcher. C'est l'euthanasie à petit feu. Selon des orientations, des règles, des normes, des balises, des limites, des procédures, peut-être même des cibles de résultats, mais l'euthanasie quand même. La mort n'a qu'une seule attente signifiée. On est sur une ligne bien mince.

Et l'infirmière n'y peut pas grand-chose. Du moins, sur ce plan. Par ailleurs, l'infirmière est une présence. Une sorte d'amie de dernière instance. Dans cet état de faiblesse et de dépendance où conduit la maladie, on s'attache à celle dont on dépend. Elle devient la consolatrice. On se confie à elle tant qu'on peut parler et ensuite, en silence, on lui confie son corps. Chaque fois qu'elle replace l'oreiller, on se sent aimé. Le petit geste prend une proportion démesurée. Chaque moment de vie atteint une intensité inexplicable. Qui s'explique par la mort à venir.

Simon se redresse lentement et se tourne. L'infirmière est debout au pied du lit et regarde l'homme. Puis Simon.

– Bonjour, lui dit-elle.

– Bonjour.

– Vous êtes de la famille ? ajoute-t-elle en souriant.

– … Un ami… Un ami d'la famille.

– C'est gentil de venir le voir… Tu peux lui tenir la main… Peut-être qu'il ressent encore des choses.

– Tantôt, il a ouvert les yeux.

– Ça arrive. Il n'est pas stable… surtout quand vient le temps d'augmenter la dose.

– Ça fait longtemps qu'vous travaillez ici ?

– Bientôt douze ans.

– Et toujours avec ces…

– Non, ça fait deux ans que je suis dans ce service.

– Vous aimez la mort ?

– Tu parles d'une question ! C'est cru pas mal !

– Excusez-moi… J'dérange ?

– Non… Bien sûr que non. Au contraire… Tu l'accompagnes dans ses derniers moments.

– Y va mourir bientôt ?

– Si tu veux qu'on parle de ça, viens à l'extérieur… On sait pas trop ce qu'ils peuvent comprendre, quoique…

– Non, non, ça va… J'vas m'en aller, j'pense.

– OK. Ça va. Je te laisse… Je vais revenir plus tard, après ton départ.

L'infirmière se retire et Simon reste debout, les yeux fixés sur l'homme qui s'en va. Trois ou quatre respirations puis il retient son souffle. Il a les yeux fermés. Ou plutôt, les yeux se sont fermés. Et Simon l'accompagne. C'est ce qu'a dit l'infirmière. Dans ses derniers moments, a-t-elle précisé. Simon retient son souffle. Longtemps. Se demandant toujours si c'est le dernier.

Une note de piano. Une note. Une seule. Qui se répète deux ou trois fois. Puis, de loin, de très loin, des mots qui montent. En même temps que des larmes dans les yeux.

– *Les pissenlits viennent de r'fleurir*
et grand-maman veut mourir
Mais elle toffe la run encore et toujours
en attendant qu'Jésus vienne lui faire l'amour
Elle a mangé sa soupe toute seule
et en lui essuyant la gueule
on la félicite, on en parle
on lui donne la médaille d'or
*Elle a gagné une autre bataille contre son vieux corps**

La voix de Simon est sortie. Du dedans, où elle naît, elle a passé le ventre et la gorge et, après quelques vers, elle a rejoint le silence de la chambre. Mais maintenant, Simon s'est tu. Il a baissé. Les yeux. Et la tête. Et les bras.

Et le vieil homme continue à respirer. Il continue à suspendre son souffle et à le reprendre, en profondeur, en râlant. Simon s'éloigne vers le pied du lit. Il voit les pieds sous les couvertures. Et il glisse sa main dessous. Prudemment. Oui, c'est froid. Oui, les pieds sont froids. Est-ce que la mort prend le corps par morceaux, par bouchées, ou bien arrache-t-elle la vie d'un seul coup ? Est-ce qu'il y a un moment où on vit puis un moment où on est mort ? Ou bien y a-t-il un glissement ? Peut-on dire que quelqu'un est en train de mourir ? Quand est-ce qu'on meurt ? Quand on est prêt ? On dit que certains résistent. Que d'autres se laissent aller. On dit que certains ne sont pas prêts. Est-ce que la mort les attend ? Pourquoi le vieil homme retient-il son souffle ? Il veut mourir ? Il est prêt ? Ou bien c'est le contraire ? C'est quand il respire qu'il résiste ? Est-ce que la mort est à l'écoute de ses sujets ? Qu'est-ce que ça lui donne de vivre plus longtemps ? Pourquoi attendre ? Il végète. Est-ce que la

* « Grand-maman », *Sophie Anctil*, Sophie Anctil, texte et musique de Sophie Anctil.

mort tient compte de tout ça ? Peut-être qu'elle n'existe pas. Qu'elle ne prend rien. Qu'elle ne vient pas chercher. Qu'elle n'entraîne pas. C'est plutôt la vie qui s'en va. Alors il n'y a plus rien. La vie se retire et abandonne le corps. Ce n'est pas la mort qui pose un geste. C'est la vie. Peut-être que la vie se retire en commençant par les pieds. Alors ils deviennent froids. Puis ce sera le tour des mains. Et le reste.

Simon est retourné à l'intérieur. La voix s'est tue et il est tombé par-dedans. Il est absent. Il est replié. Son corps veut l'entraîner vers la fenêtre. Un peu comme le corps de Bernard qui conduit Bernard le long des rues, vers le banc. D'ailleurs, Bernard est toujours sur le banc, replié lui aussi. On dit quelquefois que quelque chose est mort en dedans. On dit : « Je ne t'aime plus. » On dit : « Tu m'as fait mal. Et je ne pourrai plus t'aimer. » Quelque chose est cassé. Quelque chose est mort. Est-ce que pour Bernard, tout est mort sauf son corps ? Peut-être est-il parti vivre ailleurs ? Il a gardé une adresse. C'est son corps. Mais on ne peut le rejoindre. Il y passe rarement. Et ça lui fait mal. Ou plutôt, c'est quand il a peur que son corps a mal. Il se raidit et la tête se met à chercher son équilibre, son point d'appui entre les épaules. À ce moment, il est présent à son corps. Mais il n'aime pas ça. Il préfère ailleurs.

C'est comme le vieil homme. Il gémit un peu. La morphine va faire effet et il va s'éloigner de son corps. De la souffrance. Vie égale souffrance. Chaque fois que la vie prend le dessus, la morphine atténue la souffrance. Jusqu'à ce que la vie choisisse de se retirer pour de bon.

Simon regarde le vieil homme et ce n'est pas la mer. Il le fixe. Il inscrit le souvenir du vieillard dans sa mémoire. Ça, il peut l'inscrire dans sa mémoire. La vieillesse d'un inconnu. La mort d'un vieillard. Ça doit être une bonne médecine contre les souvenirs d'enfance. Écraser le fichier avec un fichier du même nom mais contenant autre chose. Faire disparaître par remplacement. Volontairement, faire disparaître des parties de mémoire par de nouvelles images qui deviendront souvenirs. La mémoire sélective. Voilà ! La carapace s'endurcit. La manipulation suit son cours. Alors Simon peut bouger. Il peut s'éloigner du vieil homme. Il peut aller à la fenêtre et admirer l'autre monde.

Simon aperçoit la ville. Ce n'est pas la mer. Les petites rues de Saint-Jean-Baptiste. Tout en bas. L'autoroute Dufferin et, au loin, les montagnes. Le vieil homme ne peut voir. Pas même une dernière fois. Simon regarde pour deux. C'est la première fois qu'il voit ça de si haut. Il est touché. Il cherche à comprendre. À se retrouver. À voir chez lui. Où est la rue Saint-Jean ? Où est le banc ? Où est Bernard ? Bernard finira-t-il seul au treizième étage ? Alors Simon se dit qu'il pourrait s'occuper de Bernard. S'occuper d'un presque mort. Comme le vieil homme dans le lit. Il pourrait manger les repas du mourant et dormir dans l'autre lit. Alors Simon se sent bien. Il se sent près de Bernard, près du vieil homme. Ici, à l'hôpital, il se sent un peu chez lui. Dans la chambre en tout cas.

Sur le lit, le vieil homme s'est endormi. La douleur s'est dissipée. Un autre voile devant la vie. Simon le regarde une dernière fois.

– *Je reviendrai soleil levant...*

Simon sort de la chambre et longe le corridor qui mène aux ascenseurs. Des infirmiers et des infirmières. Des médecins peut-être. Des verts et des blancs. Des malades en bleu. Ceux-là sont faciles à dépister. Ils portent la jaquette bleue qui attache mal par derrière, et souvent on voit leurs fesses. Elles sont souvent flasques et ratatinées. Certains ne le savent pas. D'autres ont honte. Ils se sentent déchus. Se savent déchus. Ils ont raison, ils le sont. En perte de leurs moyens. Une main tremblotante essaie de retenir les pans de la jaquette. Ils longent les murs et s'y adossent lorsque Simon passe. Ils fixent le sol. Ils veulent qu'on ne les regarde pas. Quelquefois une infirmière vient à leur aide. Les appelle grand-père ou enfant gâté, avec compassion.

Simon passe devant le poste de garde en se faisant petit. Il ne veut pas qu'on lui parle. Il est replié, réfugié. Après l'accueil, il emprunte rapidement l'autre couloir qui conduit à l'ascenseur. Il pousse le bouton et la lumière orangée s'allume. Simon est fatigué. L'ascenseur tarde. Il marche dans le couloir et aperçoit des fauteuils de similicuir au bout du corridor, près des fenêtres. Alors Simon va s'asseoir. Un fauteuil berçant. Alors Simon se berce en regardant le ciel par la fenêtre. Ses paupières s'alourdissent et sa tête ballotte. Molle. Pas comme celle de Bernard qui bouge par à-coups. Bernard sur le banc. Bernard sur le lit. En train de mourir, de partir à nouveau. Après son propre départ, longtemps après, voilà que son corps s'en va à son tour. Peut-être que c'est son corps qui va le rejoindre. Peut-être que ce n'est rien du tout. Que Bernard est déjà parti et que son corps va tout simplement se décomposer. Et tout ça pour rien, comme le répète Bernard dans ses murmures.

– *So what!* Hein, Bernard ? *So what?*

Bernard est mort seul. Son corps aussi. Alors des larmes coulent des yeux de Simon. Alors Simon se réveille. Dehors, c'est toujours le ciel. La tête sur le dossier du fauteuil qui a cessé de bercer. La joue collée à la cuirette. La joue en sueur. Et les larmes qui coulent dessus. Simon ne bouge pas. Il referme les yeux. Il frissonne de tristesse. Il se replie un peu plus. Il se love. Il voudrait que ça s'arrête là. Rester indéfiniment dans cette douceur mélancolique.

Il se sent bien ici. À l'hôpital. Personne ne lui demande rien. Il a même eu droit à quelques sourires. Il pourrait presque y vivre. Sortir pour aller quêter et venir manger à la cafétéria. Puis errer sur les étages. Se reposer dans les coins d'ascenseurs. Visiter les âmes seules. Se laver tous les jours. Il pourrait même dormir sur un lit ou une civière. Les compressions budgétaires dans les hôpitaux prendraient un sens. Pour lui en tout cas. Des secteurs complets sont vides, faute de personnel. Les lits n'attendent plus personne et personne ne les visite. Simon pourrait y dormir. Sans déranger. Sans se faire remarquer. Il pourrait errer dans les sous-sols et peut-être même trouver à manger. Il pourrait voler de la morphine aux malades et dormir profondément. Service complet. Un abri pour sans-abri.

Mais Simon se réveille. C'est plus fort que lui. Ses yeux s'ouvrent et le frisson n'y est plus. Simon se lève et retourne à l'ascenseur. Il presse à nouveau le bouton, qui se rallume. Simon redescend vers son monde. Il sort côte du Palais, et ses pas le dirigent vers la rue Saint-Jean tandis que sa tête s'égare encore dans les couloirs de l'hôpital, surtout au treizième, surtout à la chambre 1326, surtout près du vieil homme qui n'était pas Bernard mais peut-être un autre Bernard.

♫

Sur le banc, Bernard est bien là, dans le soleil de l'après-midi. Il a sorti les mains des poches de son trench et les a posées sur ses cuisses. Sa tête est droite et ses yeux fixent un point d'une vitrine de l'autre côté de la rue. Un point bien précis mais sans importance. Les yeux se sont posés là parce que, pour le moment, le corps n'en a pas besoin. L'âme encore moins.

Simon vient s'asseoir sur le banc. Il sourit à Bernard. Son ami.

– Ouf! T'es là!... J'ai eu peur...

Bernard ne réagit pas. Et Simon s'en fout. Bernard est là. Sur le banc. Et Simon aussi. Les piétons peuvent bien passer. Personne ne sait. Et c'est bien ainsi. Pour Bernard et pour Simon.

Chapitre XI

Sur le banc, deux hommes ne se regardent pas. D'ailleurs, ils ne regardent pas tout court. Leurs yeux sont ouverts sur d'autres mondes. Peut-être que c'est parce que leurs yeux sont ouverts qu'ils ne regardent pas. Peut-être par choix. Peut-être par désintérêt. Peut-être par prudence.

Deux hommes. Un jeune, le jeune homme. Un vieux, le vieil homme. Le jeune vieillit vite et le vieux n'est pas si vieux. Il est usé. Au fond, ils sont près l'un de l'autre. Ils sont seuls et leurs solitudes se rapprochent sur le banc. Sur leur banc. Si quelqu'un est assis et que Bernard arrive, le quelqu'un s'en va. Quand Simon s'assoit, il se met à chanter et le quelqu'un s'éloigne, sans rien laisser. Sinon le banc. Le banc de Simon et de Bernard.

Le soleil s'en va. Les oiseaux dans les arbres du parc-cimetière s'excitent avant la nuit. Les passants s'excitent à l'idée de la nuit. Mais Simon n'a pas le cœur à l'ouvrage. Que les passants passent. Que les pieds foulent les trottoirs. Que les cœurs s'inventent des romances pour briser les solitudes. Simon, lui, n'est pas de la fête. Simon ne s'enfonce pas. Il est enfoncé. La tête penchée et les cheveux qui tombent. Les cheveux qui cachent le visage dont les yeux se tournent vers le sol de ciment. Le regard qui tombe à plat, à ses pieds. Qui ne va pas plus loin. Pas même sur Bernard, qui demeure impassible, la tête droite sur les épaules tombantes et des mains qui cachent leur maigreur et leur usure dans les poches trouées du vieux trench. Et des yeux sans regard.

C'est Bernard, bien involontairement, qui brise le rythme. L'absence de rythme. Qui change la trajectoire. C'est son corps qui se lève. Son corps a reconnu la couleur du ciel et le chant des oiseaux. Son corps a su qu'il fallait qu'il se lève. Il faut faire la route et rentrer à l'abri. Et l'âme suit son corps. Pas toujours de près, mais elle suit. Jusqu'au jour où elle ne suivra plus. Où le corps ne la précédera plus. Le corps aura cessé de vivre. Et pour l'âme ? Personne ne sait. Partiront-ils en même temps ? Restera-t-elle sur le banc ? Ou derrière, pour caresser l'âme du prochain solitaire ? Pour s'occuper de Simon ? Peut-être que tout ça finit d'un seul coup, après tout. Ou après rien.

Bernard longe le mur de pierres et la grille du parc-cimetière. Jusqu'au coin de la rue Sainte-Geneviève, pour descendre la côte. Et Simon le suit. Il n'a pas décidé de le faire. Il l'a fait. Il s'est levé derrière Bernard et l'a suivi. Lentement parce que Bernard va lentement. Et Simon le regarde, et monte en lui l'envie. Il envie Bernard et son retrait des choses du monde. Il suppose que Bernard ne souffre même plus de la solitude ni du reste. Sauf peut-être de la peur, et alors le corps réagit et la tête s'ébranle. Il envie Bernard et voudrait oublier. S'oublier. Mais le souvenir des derniers jours est bien là. S'il a réussi à chasser les images, le ventre, lui, se souvient. Et la musique elle-même n'y peut rien. Elle se tait. Elle ne force plus le ventre et la gorge. Elle ne pousse pas de cri ni de soupir et les mots pour dire les choses n'arrivent plus aisément. Il ne conçoit plus, il sent. Et ça lui fait mal. Alors il suit Bernard en espérant se confondre avec lui et fondre lui-même en un état d'inconscience.

Bernard veut traverser la rue Saint-Jean mais le corps, vieilli, n'a plus tous ses réflexes. Une auto s'arrête en criant du klaxon et des pneus, et Bernard s'immobilise sec, au milieu de la rue. La tête bat de l'aile. Elle s'agite de mouvements brusques. Les épaules montent et descendent et se tordent pour aider la tête à se replacer.

Un passant, homme de bien sans doute, s'approche de Bernard et le prend par le bras. La tête s'agite encore plus. Et les bras se mettent à battre l'air tout autour. Bernard se dégage brusquement et frappe les monstres. Bernard est perdu. Son corps a besoin de lui mais Bernard est trop loin.

– Voyons, calme-toi… Je veux juste t'aider à traverser.

Mais Bernard s'énerve et frappe celui qui l'aide. Alors Simon s'approche.

– Laissez-le…

– Il a besoin d'aide.

– Non, laissez-le… je l'connais. Y va s'calmer tu-seul si personne y parle pis y touche.

– Il est en plein milieu de la rue…

– C'pas grave… Y peuvent attendre… Ça s'ra pas long si on s'en occupe pas.

L'homme de bien retourne sur le trottoir et Simon l'accompagne. Déjà Bernard se calme. Ses bras sont retombés et ses mains tremblantes cherchent ses poches. La tête continue à chercher son appui en soubresauts maladifs. Alors Bernard peut reprendre sa route, pas à pas. Plus lentement. Encore plus lentement.

Il passe près de Simon et de l'homme samaritain et poursuit son chemin dans la côte Sainte-Geneviève. Il est tard. Le corps le sait. Il est tard pour le jour. Le corps le sait. Il est tard pour le corps. Bernard le sait. Et Simon ressent une grande fatigue.

– Ça va aller, dit-il à l'homme sur le trottoir.

– Tu penses ?

– Oui, oui, je l'connais… J'vas l'suivre un boute.

Et l'homme s'éloigne. Une histoire à raconter. Et Simon suit Bernard dans la côte. Bernard dont le corps traverse les rues sans regarder. Dont les épaules et la tête se calment peu à peu. Alors Bernard se retrouve lui aussi. Il retourne là d'où il n'a jamais vraiment réussi à sortir pour aider le corps. Peut-être qu'il ne veut même plus aider le corps. Et Simon suit en silence. Sans musique. Sans parole.

Bernard descend la côte Sainte-Geneviève lentement parce qu'elle est à pic et que le corps ne veut pas se laisser emporter, dévaler. Il ne pourrait pas s'arrêter. Pas la force. Il faut qu'il traverse la côte d'Abraham au feu de circulation. Alors le corps de Bernard longe les murs et s'y accroche de temps en temps. Et Simon le suit. Pas très loin derrière. De toute façon, Bernard s'en fout. C'est la première fois que Simon suit Bernard. Il l'a déjà vu en basse-ville, au Jardin Saint-Roch ou au mail, mais c'est tout. Là, il le suit. Il fait le même chemin. Ils habitent le même banc et, là, Simon fait le même parcours. Alors Simon longe les murs et s'y accroche lui aussi.

Le corps de Bernard ne vérifie même pas si des autos s'en viennent. Il plonge dans la côte d'Abraham et traverse. La tête ne tourne pas sur les épaules. Alors Simon regarde autour. La côte, mais aussi les petites rues, Sainte-Madeleine, Lavigueur, Saint-Réal. Il peut en venir de partout. Et qui va tenir compte de Bernard ? Alors Simon se demande si c'est toujours ainsi. Si Bernard frôle la mort à chaque traversée.

« P't-être qu'y veut mourir ? Ou ben y s'en fout complètement. »

Ils descendent la côte d'Abraham et longent l'architecture hétéroclite du vieux rénové et du neuf à l'ancienne. Et le corps de Bernard se retient. Et Simon aussi.

Il faut tourner et traverser Saint-Vallier où les voitures s'engouffrent à toute vitesse. Le corps de Bernard ne regarde pas. Il fonce. La brunante s'épaissit et le corps le sait. Il faut reconduire Bernard à sa chambre avant la nuit. Alors le corps se dépêche, mais lentement.

Le bruit de la fontaine est un signal apaisant. Il situe dans l'espace. On sait qu'on est près de la basse-ville, près du parc du Jardin. Il isole des autres bruits de la ville. On se ferme les yeux et le monde menaçant disparaît. Comme sous la douche. La porte close de la salle de bains. Fermée à double tour. Et puis l'eau qui coule. Sur la tête et dans les oreilles. Les oreilles bouchées et les yeux fermés. On est en sécurité. Le monde est bien loin.

En descendant l'escalier, les arbustes ajoutent à l'illusion d'isolement. Ils créent un mur avec le monde et les cascades de la fontaine font le reste. Le corps de Bernard s'apaise. Il ralentit. Alors Simon ralentit. Sur les épaules de Bernard, la tête s'exerce à quelques roulements. Le corps profite de l'intermède.

Simon suit Bernard jusqu'au pied de l'escalier. Il s'avance près du bassin où des gens se reposent de la canicule. La brunante et l'eau fraîche après la journée de chaleur. Simon s'approche du bord et s'assoit dans les marches. Il regarde Bernard s'éloigner. Il le laisse ici. Sans savoir la suite. C'est inutile. Le corps de Bernard a repris le dessus et celui de Simon a besoin de repos. La musique et les mots se sont tus et la régénération ne se fait plus. Plus de mots à mettre sur la souffrance. Plus de musique pour adoucir les mœurs, on le sait, ni la pente, on le sait aussi.

Simon observe Bernard qui ne s'appuie pas au muret de béton, qui longe les plates-bandes de fleurs et s'en va d'un pas lent régulier vers ailleurs. Mais Simon ne sait pas. Simon ne sent pas. Des yeux, il regarde le corps, mais c'est Bernard qu'il envie. Celui qui est loin. Pas celui qui va devoir traverser le boulevard Charest, pénétrer dans le mail sous la lumière verte et grise des néons, longer quelques vitrines au pied desquelles les déchets s'agglutinent, ressortir près de l'église qui ne veille plus sur lui depuis longtemps, se faufiler où la vie de nuit remplace rapidement celle du jour, jusqu'à la porte qui donne sur une marche qui tombe sur le trottoir et, là, rentrer à l'abri, pour que la tête sur les épaules devienne la tête sur l'oreiller. Là, Simon ne suit pas Bernard et son corps dans les dédales de leur vie respective et commune.

Simon reste assis, au pied de la fontaine et, lorsqu'il ne voit plus Bernard, il plonge ses yeux dans l'eau en cherchant à s'éteindre. Mais en vain. Le ventre crie et la musique et les mots restent muets.

Il n'y a presque plus personne autour. Plus d'enfants en tout cas. Plus d'enfants qui jouent à la vie. Plus d'enfants qui jouent à la vie des adultes en riant. Qui imitent les malheurs en riant. Ils sont d'un autre monde, eux aussi. Comme Bernard. Mais pas le même monde. Moins isolé. Enfin, peut-être. Parce qu'au fond, ils rient dans la fontaine mais ne viennent pas toujours à la fontaine. Et le reste du temps, ça dépend. Ça dépend des parents, des frères et sœurs, des professeurs, des voisins, des amis, du dépanneur et de la nuit. Parce que la nuit, on les retire de la circulation. Il vaut mieux qu'ils ne voient pas le vrai jour des adultes. Alors les enfants ont déjà quitté la fontaine. En fait, il reste surtout des gens seuls. Une vieille dame avec ses sacs à poignées qui s'approche en se déhanchant. Un jeune avec un chien, qui donne des coups de pied sur des illusions de cailloux. Une fille avec un livre qu'elle ne lit pas. Et Simon qui plonge les yeux dans l'eau de la fontaine pour y noyer des larmes qui ne coulent pas.

Alors son ventre lui arrache des spasmes. Il l'enserre de ses bras et se plie. Il écrase la douleur. Mais le silence est de plomb. Pas un mot, pas une note. Rien.

Finalement, la douleur s'atténue. Tout passe. On le sait. Alors Simon se relève lentement. Il déambule dans les allées aux fleurs rouges et jaunes. Il erre. Encore. Il aurait dû suivre Bernard. Ça l'aurait occupé. Ça aurait donné une direction à ses pas. Simon ne sait pas que Bernard habite la chambre. Simon ne connaît que le banc. Mais il sait que Bernard emprunte toujours le même chemin. Il sait que Bernard a une autre vie. Ou un autre lieu pour vivre la même vie. Simon n'a que le banc et la rue Saint-Jean. L'hôpital, on verra. Sous l'autoroute Dufferin, ça peut aller, à l'occasion. Alors Simon n'a pas de place où aller lorsqu'il veut quitter le banc. Le Jardin Saint-Roch, le carré, ce sont des lieux de transit, en attendant de retourner au banc.

Simon traîne dans les allées et le son de la fontaine s'estompe dans sa tête. C'est un chuchotement lointain. Les gens sont devenus des abstractions irréelles qu'il pourrait traverser. Ses pas conduisent son corps mais, lui, il traîne de la patte. Un peu comme Bernard, quoi.

Il ne voit pas réellement les fleurs et les gens. Sauf un homme. Un homme en veston et cravate, usés et sales. De rares cheveux gras sur un crâne luisant. Une petite taille bedonnante. Un regard furtif. Un regard qu'on dit fuyant mais qui cherche à gauche, à droite. Il est debout à l'extrémité de l'allée de fleurs, en haut des premières marches de la fontaine, près des toilettes publiques. Simon ne le voit pas vraiment mais son regard est posé sur l'homme. Et Simon avance dans sa direction. L'homme l'observe, puis il détourne les yeux. Il regarde partout. Il revient à Simon mais ne s'attarde pas. Alors Simon arrive à sa hauteur. Là, l'homme le scrute et c'est Simon qui détourne les yeux. Il emprunte une autre allée de fleurs. Alors l'homme se déplace vers un bosquet d'arbustes. Il s'appuie au rempart de ciment et fait mine de rien. Il suit Simon qui s'éloigne le long des fleurs. Alors Simon s'arrête et se retourne. L'homme le fixe et Simon regarde l'homme. Alors Simon revient sur ses pas. Il revient vers l'homme au crâne chauve. Maintenant son pas est assuré. Il marche lentement. En fait, il est absent et le corps s'occupe du reste. Il a appris sa leçon.

Lorsqu'il passe devant l'homme, il lui sourit. Complice. Et l'homme lui fait un sourire. Un vague signe de tête montrant l'autre côté du parc, du Jardin, plus loin. Et Simon continue à sourire. Il détourne les yeux et continue à marcher dans l'allée de fleurs à souiller. Et l'homme le suit.

Alors Simon se rend jusqu'à la petite rue qui longe le parc. La rue Sainte-Hélène. Le soleil se couche sur la mort de Simon. Simon s'est endormi. En dedans. Simon fait le mort. Il fait le Bernard.

Alors l'homme ouvre les portières d'une auto. S'y assoit. S'y enferme. Alors Simon le suit. S'y engouffre. S'y jette.

Alors l'homme démarre en silence et roule lentement. Quelques virages. Boulevard Charest, autoroute Dufferin. Sous l'autoroute. Encore. Mais pas le même endroit. Pas l'abri de Simon. En bas. Ce qu'il y a de plus bas. Tout au pied de la falaise. Au pied de l'abri. Les piliers de béton et l'autoroute tout en haut. À côté de l'Îlot Fleurie. Ce jardin communautaire déraciné. Le bruit sourd des voitures qui fait écho à la nuit. Les piliers et les fresques gigantesques. On a décoré le béton. Décoré la laideur. L'autoroute-barrière. Entre les deux mondes.

Le Vieux port et le vieux tout court. Saint-Roch abandonné. Des fresques de cathédrales, des fresques sous-marines. On a caché les graffitis anarchistes. Elles sont belles, les fresques, mais elles cachent la révolte. L'ordre s'empare même du béton.

Alors Simon est perdu. Il est parti ailleurs. En dedans. Il ne sait trop quoi faire, mais son corps suivra l'instinct. Il n'a qu'à laisser faire. Qu'à se laisser faire. Suivre l'instinct. Le bas instinct. Il n'a qu'à faire des fresques et des icônes autour de son âme. Le stationnement sous l'autoroute est désert. La nuit l'enveloppe. La descente est facile.

Alors l'homme conduit Simon dans le stationnement, le terrain vague. Derrière un pilier. Derrière le monde. Isolé. Caché. Alors l'homme descend de voiture. Alors Simon le suit. Derrière la voiture. Derrière la voiture derrière le pilier derrière le monde.

Alors l'homme s'approche de Simon. Il souffle déjà. Il bave peut-être même. Et Simon se laisse faire. Il se laisse embrasser dans le cou. Il se laisse prendre par les épaules. Il ne sent pas les mains qui descendent le long de ses côtes, qui tirent le t-shirt de son jean et qui s'insinuent dessous. Il ne sent pas le pénis durci que l'homme frotte sur sa cuisse. Il ne sent pas la main qui baisse la fermeture éclair et l'autre qui se glisse sur ses fesses. Il ne voit pas que l'homme a sorti son pénis et se caresse. Alors l'homme met la main de Simon sur son pénis et Simon ne résiste pas. Il caresse l'homme doucement. Et l'homme respire fort dans son cou.

Alors l'homme le pousse à se retourner et Simon sait qu'il doit se pencher. Alors il se penche sur la valise de l'auto et l'homme descend son jean plus bas. Et l'homme lui prend les hanches et le ventre. Alors il pénètre Simon et son souffle s'excite aussitôt. Et Simon ne sent rien. Et son corps attend. Quelques cris de plaisir étouffés, quelques cris de douleur réprimés que le corps n'a pu retenir. Le métal froid dans la chaleur. Et la lumière froide de la nuit. Les mains froides et le cœur froid. En pleine canicule. Alors Simon attend que ça finisse. Et ça finit. L'homme a joui. D'une jouissance illusoire. Alors il relève son pantalon, y entre sa chemise. Il n'a même pas ôté son veston. Il paie et se retire. Il s'en va sans un mot. Sans rien dire. Ni mot, ni musique pour Simon. Simplement le mal de ventre qui se prolonge, qui s'aggrave. Et maintenant, un autre mal. Entre les fesses. Bien physique celui-là.

L'homme est parti. Alors Simon s'est habillé. Vite. Il s'appuie au pilier de béton. Il s'appuie sur le vague du terrain. Le bruit sourd de la ville répercuté sur les murs de béton. Les battements sourds de son cœur sur la paroi durcie de son âme. Alors Simon vomit. Il se plie en deux et rejette son ventre et son âme. Alors Simon pleure. Il rejette son cœur. Il perd ses eaux. Il s'enfante dans la douleur.

Par la ruelle derrière les édifices qui bordent le boulevard Charest, rue Sainte-Marguerite, ruelle plutôt, Simon fuit sa vie par en avant. Lentement. Mal de corps et mal de cœur. Il s'appuie aux murs qui s'effritent. Édifices désaffectés. Bâtiments abandonnés. Enfin le Jardin. Simon se glisse dans les toilettes. Vivement de l'eau. Le lavabo. De l'eau. Et puis Simon relève la tête et renvoie ses cheveux en arrière. Il se voit dans le miroir. Il se regarde dans les yeux. Il s'affronte. Il y a des actes qui font vieillir, on l'a dit.

Simon prend de l'eau dans le creux de ses mains et s'asperge le visage. Il regarde le miroir. Il se regarde. Mais ce n'est pas lui. Il a changé. Il a vieilli. Il a deux cents ans et la terre s'est arrêtée de tourner. Il ne sait plus si le dégoût est plus fort que la haine. Il se regarde et, d'un geste brusque, il frappe le miroir de son poing. Tout éclate et sa main saigne. C'est normal, et il se sent mieux. Moins mal à l'anus, plus mal au poing. Moins mal à lui-même lorsque le miroir est brisé. *Qu'éclats de verre.* Simon lave ses mains. Encore et encore. Et il sort sans même fermer le robinet qui coule dans le lavabo éclaboussé de sang et tout plein de parcelles du visage de Simon éclaté.

Simon ne retourne pas rue Saint-Jean. Simon ne retournera pas sur le banc. Simon va dormir sous l'autoroute. Sous l'autoroute, mais en haut. À l'abri. Avec les graffitis sauvages dessinés les uns sur les autres. Pas en bas. Pas avec les fresques et les murales. Pas au pied de la falaise. Pas au pied d'une pente douce. La Pente douce, c'est plus loin, c'est ailleurs. Ce n'est pas pour Simon. Lui, il a la pente abrupte. Le cœur en chute libre. Simon s'est exilé de lui-même. Il n'avait que Bernard comme ami et il l'a suivi. De l'autre côté du miroir.

La nuit sur le Jardin Saint-Roch. La fontaine qui coule. Comme une goutte d'éternité. Autour, tout est calme et doux. Il n'y a plus personne dans le parc qui est laissé à lui-même. Il se repose de tout ce que les gens lui font vivre. Il profite de la nuit pour se refaire. Ne dit-on pas que les fleurs poussent surtout la nuit ? C'est peut-être pour cela qu'il en pousse sur les tombes.

Chapitre XII

SIMON ne va pas plus haut que l'abri sous l'autoroute Dufferin. Il ne va plus rue Saint-Jean. Plus de parc-cimetière, plus d'église-bibliothèque. Il fume des joints et dort. Il s'oublie. Lorsqu'il se réveille, il fume. Souvent, il se rendort. Il faut que le jour passe. Il ne veut pas voir le jour. Il ne veut pas voir. Au moins, ici, il n'y a pas de miroir. Le seul miroir qu'il supporte, c'est celui des toilettes du Jardin Saint-Roch. On l'a remplacé. Ça fait trois ou quatre soirs qu'il se crache au visage et s'insulte. Après avoir fait sa job, sous l'autoroute mais en bas. Il se méprise ouvertement. Face-à-face dans le miroir. Et il se lave les mains, et se passe de l'eau sur le visage. Il se hait un bon coup. La haine donne du courage. Ou plutôt, la haine aussi donne du courage. Alors il repart vers l'autoroute, en haut, à l'abri.

Depuis quelques jours, il est ailleurs. Il s'est éjecté de lui-même pour permettre à son corps de faire quelque chose d'intolérable pour lui. Il s'est déconnecté. Il est toujours absent, dans un état second, sous effet secondaire. Il est sale et ne ressent pas la faim. Il grignote et boit du café. Lorsqu'il rentre à l'abri, il apporte une bouteille de vin du dépanneur et il la boit d'une seule traite. Avec un joint. Il sombre. Se noie.

Mais il ne va pas plus loin que l'autoroute. Pas plus haut. Il reste au milieu de la falaise. Il ne veut pas être vu. Il ne se sent pas digne du banc. Pas digne de Bernard. Alors il ne les fréquente pas. Il ne veut pas être vu au parc-cimetière. Ni chez *Mélomane*. Alors il n'écoute pas de musique. Et il ne feuillette pas de revues à la *Tabagie Saint-Jean*. Et il ne voit pas la guitare dans la vitrine. Il ne voit rien et n'est vu de personne. Personne qu'il connaît, en tout cas. Car le soir, il y en a qui le voient et le reluquent. Qui le déshabillent du regard avant de le faire à deux mains. À mains sales, le plus souvent.

Il ne voit plus sa guitare et, même dans sa tête, la guitare est si loin. Un lointain souvenir de quelque rêve avorté. La musique ne parle plus et les mots ne chantent plus. Plus rien. Silence. Silence du royaume des morts, des mots morts. Comme des corps qui se traînent dans la souffrance et la hâte d'en finir. Comme le vieux, à l'hôpital, plus mort que vif. Comme Bernard, déjà mort au fond du corps. Pas de cris intérieurs. Pas d'appels au secours. Pas même de bruit de fond d'âme torpillée. Pas de gargouillements d'estomac. Pas de plaintes. Pas de gémissements. Et encore moins de rires et de sourires. Alors, bien sûr, pas de musique et pas de mots. Rien. Rien d'autre que rien.

Simon erre dans les rues de la basse-ville, en terrain inconnu réciproquement. Il attend son heure. L'heure du Jardin, puis du stationnement. Il erre et se terre. C'est comme ça qu'un matin, alors qu'il marche dans le mail, à la recherche d'un café, il aperçoit Bernard. Il le voit entrer dans le mail près de l'église, puis en ressortir. Mais il ne le reconnaît peut-être pas. Il le voit. C'est tout. Le regard absent. Les cheveux emmêlés devant ses yeux morts. Il prend un café et erre de nouveau sans savoir seulement que Bernard existe quelque part et qu'il s'en va vers le banc. Tout le jour, il marche et se cherche des coins tranquilles pour le repos. Des recoins. Parce que dans les recoins, on voit venir. Personne n'arrive par derrière. Il s'assoit par terre, parmi les déchets, vieux papiers et mégots, liquides rampants non identifiables, seringues et condoms, verre cassé, verre coupant. Il se repose et repart sans savoir, sans repos. À la recherche d'un autre repaire isolé. Plus sale, plus affreux, plus abandonné. Un lieu dont personne ne veut. Que tous évitent. Alors il se repose. Il attend et se remplit d'énergie. Il en accumule parce que le soir, il a besoin de tout. De tout ce qu'il a. Lorsqu'il a fini son boulot, il n'a plus rien. Il n'est plus rien. Le jour, il se reconstruit un peu. Juste assez pour survivre. Par instinct. Juste assez pour faire le boulot, le soir venu.

C'est une fin de journée. Pas encore le soir. Les premières heures orangées. La canicule ne se dément pas. Jour après jour. Les reines n'arpentent pas encore la rue du Roi. Depuis longtemps, elles ont quitté la rue des Anges. Elles sont déchues. Au rang de femmes, de mortelles. Et elles se meurent rue du Roi ou de la Reine. Simon tourne autour. Son esprit se marque d'images, le mécanisme de ses yeux fonctionne. La lumière structurée en images imprègne son esprit. Mais il ne voit pas. Pas en ce moment. Peut-être plus tard. Peut-être aura-t-il des souvenirs. Quoique les souvenirs et Simon…

Simon se dirige vers le Jardin, sa fontaine et son bassin. Il y a les îles au milieu des lacs d'eau douce, haltes agréables et apaisantes où l'on peut se baigner. Il y a les îles de la mer où l'eau trop salée laisse mourir les naufragés. Il y a les îles au milieu des déserts, abandonnées par l'eau et la vie. Et il y a une île au milieu de la ville. L'Îlot Fleurie. Par esprit de contradiction. Au cœur du béton, sous l'autoroute. Au cœur de Saint-Roch. Au pied de la falaise. Un îlot pour miséreux. Un îlot pour simons naufragés. Tout autour, on construit, on rénove. Où iront les pauvres et les schizos, les alcoolos, les toxicos et les simons? La rénovation chasse les pauvres. La revitalisation brise des vies. On n'en sort pas. On laisse mourir ou on chasse la mort. Mais pour Saint-Roch, rien à perdre. Son temps viendra. On défera le mail, on redonnera au quartier un cachet politiquement correct, on chassera la pauvreté, ou tout au moins les pauvres. Ailleurs, moins visibles.

En attendant, Simon y meurt. Tous les soirs. Il arrive au Jardin, la tête baissée, les yeux cernés, les cheveux gras, les vêtements sales. Il fait sa toilette. Avant l'ouvrage. Se rafistole un peu. Se donne du charme. Avant de se faire prendre. Avant le stationnement et les fresques et le béton et le pied de la falaise et la mort dans l'âme.

Simon s'assoit près du bassin. La fontaine-chute couvre le silence. Les bruits de la ville aussi. Le bruit forme un écran. Mais Simon est emmuré. Alors la chute…

Un soir, Marie arrive. Par derrière. Simon n'a pas pu fuir. Ni se cacher. De toute façon, il ne l'aurait pas vue.

– Simon… Simon…

Marie s'accroupit derrière Simon et lui prend le cou. À deux mains. Elle l'a à peine touché. Et Simon se retourne brusquement. Yeux exorbités. La frappe d'un coup de coude sur le bras. Marie tombe. Marie se redresse. En sursaut.

– Ça va pas?… T'es malade? lui crie-t-elle.

– Dégage!

Marie se relève. Fait un pas. Le regarde.

– Veux-tu qu'on aille marcher?

– Lâche-moi.

– J'veux juste qu'on parle un peu.

– J'ai rien à t'dire… J'ai pas besoin d'toi…

– J'aimerais ça t'aider.

Alors Simon se lève et s'approche de Marie. À deux doigts de sa face. Les yeux grands ouverts. Le cœur grand fermé.

– Tu comprends rien, toi ? J'veux avoir la paix. Crisse-moi patience. J'ai rien pis personne peut rien, c'tu clair ça ?

– C'est quoi ton problème, toi, Simon ? Tu t'prends pour qui ? On en a toute des problèmes pis on vit avec… Ça nous donne pas l'droit d'être bête avec les autres… Ah ! Pis arrange-toi tout seul !

Alors Marie se retourne et s'enfuit rapidement. Elle court dans l'escalier. Elle s'évade par le haut. Elle monte l'escalier en courant. Elle traverse sans regarder la côte d'Abraham puis, sans souffler, elle attaque l'escalier de la haute-ville. Elle s'essouffle.

Alors Simon reste seul debout près de la fontaine, fixant l'escalier, à côté des toilettes. Mais Simon ne voit que les toilettes, à côté de sa vie. La lutte est finie. Simon peut redescendre. Oublier au plus vite. Il n'a pas de souffle, ni d'air, ni de vie. Il n'a ni mots, ni musique. La porte s'est vite refermée et Simon est prêt pour le travail. Il s'est abandonné et laisse au corps le sale boulot.

Dans les allées du Jardin, des gens circulent. Ils vont. D'un point à un autre. D'un temps à un autre. Le monde est comme les gens. Il a plusieurs personnalités. Le monde est schizo. Comme tout le monde.

Entre les plates-bandes circulent des schizos et des paranos. Des fêlés, des brisés à l'intérieur. Ils ne sont pas tous étiquetés comme Bernard, c'est parce qu'ils se dissimulent mieux. Ils ne veulent pas qu'on les voit multiples. Bernard s'en fout. Les autres peuvent bien le voir ailleurs que dans son corps, il s'en fout. Ils ne voient pas où il est. Au début, il faisait attention. Pour ne pas se faire remarquer. Il était un peu gêné. Il avait peur aussi. Il a établi une routine pour le corps. Le corps, la seule partie que les autres peuvent vraiment voir. Bernard est un grand livre, fermé. Scellé.

Parmi les gens seuls, des hommes qui laissent leur corps décider. Aussi schizos que les autres. Mais leur corps éprouve des besoins difficiles à combler. Leur peau a des désirs inavouables. Il n'y a pas de jeunes garçons qui désirent les hommes d'âge mûr, solitaires et schizos. Ces hommes sont devenus solitaires et schizos sans s'avouer ce qu'ils sont. Souvent, ils se sentent coupables, mais ils ne le savent pas. Ils ne mettent pas de mots sur ces choses. Ça ferait mal. Trop mal. Ils sont en manque de jeune chair et tout le monde juge pervers ces désirs marginaux. Ils n'ont pas de jeunes garçons pour l'amour. Alors ils paient. Ils paient et tuent en dedans. À la longue, ils s'oublient et s'acceptent dans la fuite. Alors ils paient sans un mot et s'en vont. Souvent, ils deviennent brusques. La tendresse est trop proche de l'amour. Ils n'y accèdent pas. Ils s'endurcissent et deviennent durs avec les autres. Ils se nourrissent de peur et de haine. Alors ils deviennent violents. Ils n'aiment plus.

Alors ils prennent Simon par derrière ou dans la bouche. Ils le prennent vite fait. Juste pour eux puisqu'ils paient. Alors Simon absorbe le choc. Il se laisse prendre mais donne aussi peu que possible. Il s'envoie ailleurs et laisse le corps se faire prendre sur les capots des voitures ou à même les murs de béton.

Après, Simon retourne au Jardin. Il se lave et s'engueule un bon coup dans le miroir. Après, il s'en va sous l'autoroute, à l'abri. Après, il fume et boit. Après, il s'endort et va se rejoindre lui-même quelque part, inconscient. Ça fait ça de pris. Quelques heures d'insouciance. Quelques heures de repos pour le corps. L'esprit, enfumé, somnole tout le temps.

Quatre ou cinq jours de cette vie et Simon est comme l'homme étendu sur son lit, espérant la mort plus qu'il ne l'attend. Simon n'a plus faim. Juste la soif. Soif d'eau, de café et de vin. Soif de fumée enivrante. En silence. Il ne pense même plus ni aux mots ni aux notes. Il s'efforce de ne pas penser et réussit. Faire son temps. Laisser filer. Oublier même le présent. Surtout le présent.

Quelques jours plus tard, Simon fume son joint au réveil, sous l'autoroute Dufferin. Il descend du rebord de ciment et s'approche de la falaise. La vie grouille dans la basse-ville. C'est le jour, pas le matin. Simon fume et regarde sans rien voir. Ni bonheur, ni malheur. Léthargie. Vide.

Simon tourne en rond sous l'autoroute. De ses pieds, il pousse des cailloux qui tombent dans son vide intérieur. De ses yeux, il y plonge le regard. Simon tourne en rond en dehors. Au fond d'une poche de son jean, sa main caresse le rouleau de billets. Il le serre dans sa main. Il l'enferme dans son poing. Longtemps, il tourne en rond, la main crispée sur l'argent. Longtemps, il erre à l'intérieur de son vide. Puis, du doigt, il frôle le coin des billets. C'est le bout du rouleau. Simon est au bout du rouleau et il caresse les coins des dollars. Le rouleau est dur et épais. Aussi gros qu'une queue qui l'encule. Aussi gros que son vide. Les coins sont nombreux, décalés légèrement les uns des autres en roulant. Et Simon y frotte son pouce.

La main se charge de tout. Elle agit d'instinct. Lentement, elle sort le rouleau. Enfoncé dans le creux de la main qui le tient serré. La main s'appuie sur le ventre et bientôt est rejointe par l'autre main qui l'enveloppe. Puis les deux mains enserrent le rouleau. Les doigts croisés, emmêlés. Les doigts écrasés l'un sur l'autre.

Le temps passe. En l'absence de Simon. Le temps passe lentement et Simon ne bouge pas. Seuls les doigts qui relâchent tranquillement. Lâcher prise, on sait ça. Tout le monde le dit. Ça pue la soumission, mais Simon lâche un peu. Puis un peu plus. De toute façon, Simon n'est pas encore là. Il arrivera plus tard. Peut-être. Oui, il arrivera.

Pour l'instant, seuls les doigts sont présents. Seuls les doigts vivent le présent. Doucement, précieusement, ils retirent l'élastique, qui tombe par terre. Simon ne retient rien. Les doigts déroulent le rouleau. Les dollars veulent se rouler à nouveau. Se replier sur eux-mêmes. Les doigts les étirent. Jusqu'à ce qu'ils prennent leur pleine longueur. Mais les dollars forcent. Et les doigts luttent. Ils comprennent finalement et plient les dollars sur le long, en sens contraire du roulement, du repliement sur eux-mêmes. Les dollars se soumettent. Ce sont eux qui ont lâché prise. Pas les doigts.

Simon, lui, se tient à l'écart de ses doigts, de son corps. En fait, il est ailleurs. C'est plus qu'à l'écart parce qu'un écart implique un premier point de repère et que Simon n'en a plus du tout. Pas même son corps. Il est presque Bernard. Et comme les doigts dans les poches du trench de Bernard savent trouver la clé de la porte qui donne sur une marche qui tombe sur le trottoir, les doigts de Simon savent compter les dollars, un à un, lentement. Des cinq, des dix, des vingt. Cent. Cent dollars. Les doigts savent. Maintenant les doigts savent mais Simon est si loin. Alors les doigts envoient le message. Simon, Simon, tu as cent dollars dans les mains.

Les doigts plient les dollars. Juste en deux. Puis les glissent dans la poche gauche de son jean. Puis la main caresse la cuisse pour sentir la bosse carrée dans la poche du jean. L'index en fait le tour. Puis les mains tombent sur le côté et le corps tout entier fait un pas. Un pas en avant. Puis un pas en arrière. Puis un pas en avant.

La tête de Simon se redresse sur le corps abandonné par Simon. Les cheveux sales et mêlés s'accrochent au visage. Les mains viennent aider. Écartent les mèches grasses et dégagent le visage. Les yeux s'ouvrent et contemplent la ville, au pied de la falaise. Le soleil brille toujours. Simon réintègre son corps. Petit à petit. Confusion.

Le temps a passé. Déjà, ça sent la fin du jour et Simon n'a pas quitté son antre. Il ne vit plus depuis tant de jours qu'il ne sait plus combien de jours ou de nuits. Il erre au-delà de lui-même tandis que le corps erre à la dérive. Il laisse aller. Encore une fois, il laisse aller. Le corps se met en branle et quitte l'abri sous l'autoroute.

Le corps fonctionne. Le corps remonte vers la ville. Le corps saute le parapet et revient sur la côte de la Potasse. Et là, il redescend. Par habitude des derniers jours. Aller en bas. Ne pas être vu en haut. Le corps redescend vers le boulevard Charest et le mail Saint-Roch.

À chaque pas, Simon se rapproche de son corps. Il entre dans le mail et longe les vitrines abandonnées sous l'éclairage verdâtre. Il regarde autour. Comme s'il cherchait quelqu'un. Peut-être Bernard. Et il marche jusqu'au bout pour sortir rue de la Couronne où les rois et les reines ne sont plus couronnés depuis longtemps.

Dans la rue, les reflets s'effritent au profit des ombres allongées. Le soleil s'en va. Encore. Début de soirée. Métamorphoses des mondes. Simon s'approche de la bibliothèque Gabrielle-Roy. Simon, qui ne connaît ni Gabrielle, ni sa bibliothèque. Tout ce qu'il en connaît, ce sont les toilettes du sous-sol où il pourrait faire carrière comme au stationnement. Des toilettes payantes. Du moins pour ceux qui font des passes. Surtout des hommes et des hommes. Des hommes et des jeunes hommes. Peut-être que Simon y est déjà venu. Dernièrement. Quelquefois des femmes. Une fois, il avait surpris un homme couché sur le capot d'une auto dans le stationnement près des toilettes. En train de se faire sucer par une fille. Une fille de tout. Pas une fille de rien. Une fille de bien. Simon est dans son élément. Il peut errer tranquille. Il n'a pas peur. De lui-même surtout. Comme Bernard, sur la route de la chambre au banc. Ou sur le banc. Tranquille. Exilé de lui-même et faisant confiance au corps à condition de le placer dans son élément.

Simon se dirige vers les toilettes. Pas pour travailler. Pour se laver. Pour se nettoyer. *L'eau lave l'âme*, écrivait l'ami Louis Gauthier, *la serviette la repeint**, continuait-il. Simon ne connaît plus les douches ni les bains. Il est intime avec les robinets publics et les séchoirs à air chaud. Il se lave les cheveux au savon rose ou vert. Il se lave tout nu, sans gêne et sans honte. Il se lave vite et bien. Ça lui fait du bien. Sauf pour son linge, toujours sale. Une fois propre, il peut reprendre le boulot. Se salir à nouveau. Avant de vomir son âme sur lui-même. Mais ce soir, il ne vomira pas. Il ne travaillera pas non plus. Il se contente d'errer.

Il traîne dans la rue qui n'a rien de Saint-Joseph sauf le nom. Il traîne dans les rues de la Reine et du Roi. Mais les noms sont usés. Comme les mots trop utilisés. Urgent, par exemple. Aujourd'hui, urgent est usé. Je t'aime aussi. On se quitte le lendemain. Simon ne rejoint pas les mots. Il erre en dedans comme au dehors, à l'abri des mots qui nommeraient sa douleur et la feraient vivre. La vie avant les mots est ailleurs. Les mots sont la clé pour entrer dans le monde du réel. Ah ! Si quelqu'un pouvait la perdre !

Mais ce soir, Simon n'aura pas à nommer son dégoût. N'aura pas à trouver de nouveaux mots pour s'injurier. Il peut rester en dehors du réel. Il ne travaille pas. Il marche et ne regarde pas ceux qui, hier, participaient à sa vie. Ce soir, il n'a plus de vie. Il n'en a plus besoin. Il marche où ses pieds se posent et il va où son pas le dirige. Il va sans s'en aller, sans y aller. À chaque pas, il arrive quelque part d'où il repart aussitôt. Mais aucun pas ne le conduit vers la haute-ville. Il reste en bas, ce monde qui lui est interlope.

Plus tard, beaucoup plus tard, dans la nuit lumineuse, il retourne à l'abri, sous l'autoroute. Il fume et il boit son litre de vin. Et il dort. Sur le rebord de ciment, sa veste de jean déposée sur son épaule et la tête penchée sur le ciment. Mais il dort. Il est ailleurs. Il est même ailleurs que son ailleurs d'errance. Il dort. Simon dort.

C'est la faim qui réveille Simon. Hier, il n'a rien mangé. Rien du tout. Juste de l'eau et un litre de vin. Et de la fumée. Bouche épaisse et tête crasseuse. Vêtements collants d'humidité et de saleté, ventre creux et sexe rabougri. Et pourtant encore le soleil. Et la chaleur.

Simon saute en bas du rebord de ciment. Il jette un œil autour. Le réel est bien là. Les déchets traînent au sol et la ville s'active au pied de

* Louis GAUTHIER, *Anna*, Montréal, Cercle du livre de France, 1967, p. 23.

la falaise. Dans le stationnement, des voitures se garent. Des gens en descendent. Ils vont travailler. Mais pas comme Simon. C'est la vie de jour. Simon travaille de nuit. Simon met les mains dans ses poches. Et tout de suite, il touche les dollars. Il les sort et les compte. Il les recompte. Cent. Voilà ! Il fouille dans les autres poches. Quelques pièces. Peut-être assez pour un café. Alors Simon quitte son antre. Et ses pas le dirigent. Il se laisse entraîner et la route conduit au carré. Petit resto, café fort. Pour ici. Pour boire dans le coin en silence, la tête baissée mais les yeux qui surveillent. Des fois que quelqu'un le verrait. Des fois qu'il verrait quelqu'un qu'il connaît. Mais rien. Le calme. Son âme se repose. Son âme se repose éveillée. Simon rejoint son corps peu à peu. Aux toilettes, il se lave et se peigne du bout des doigts. Là, il est prêt. Il se regarde dans le miroir sans s'engueuler. Sans cracher. Il se regarde au neutre. Sans amour et sans haine. Il remplit ses mains d'eau froide et boit goulûment. Et boit encore.

Il retourne à sa table mais déjà la tasse n'y est plus. Quelqu'un d'autre a pris la place. La roue tourne. Alors Simon sort au soleil. Et reprend sa marche. Bientôt il traverse Dufferin. Son monde d'avant. Dorénavant, lui aussi aura une vie d'avant et une vie d'après. Et son après commence là où finit son avant. Entre les deux, il y a une mort, c'est tout.

Et Bernard qui ne l'attend pas. Bernard sur le banc n'attend rien ni personne. Mais Simon le reconnaît. Il est de retour. Depuis combien de temps était-il parti ? Quelques jours, quelques vies. Ou quelques morts. Des petites morts qui s'accumulent au fil des petites vies jusqu'à la grande mort qui, pourtant, ne met pas fin à une grande vie. L'homme à l'hôpital ne mourait pas d'une grande vie.

Simon traverse la rue et s'assoit sur le banc, près de Bernard. Bernard dans son trench et les mains dans les poches du trench. Bernard qui ne regarde rien sinon un ailleurs à lui tout seul. Simon se ramasse en lui-même. Il fouille tout au fond où il trouve des morceaux brisés de lui-même. Il les recolle, les soude. Simon rejoint son corps. Et son ventre se contracte, et ses yeux se mettent à briller. Ses yeux se liquéfient. Alors il pleure. Alors il peut. Seulement, alors.

– Veux-tu voir ?

Et Bernard ne bronche pas. Et Simon met la main dans la poche coffre-fort et il en sort les billets. Les billets qui font cent dollars.

– R'garde… J'ai l'argent… J'ai l'argent, mais chus mort…

Puis, rien. Le silence. Pas de musique dans le ventre. Pas de paroles enchantées dans la tête. Rien. L'argent de la musique mais pas la musique. Simon se lève et emporte son silence. Il laisse à Bernard son propre silence. Chacun sa mort. Chacun sa vie. Et Bernard reste assis.

Bernard ne sombre plus. Il est sombré. De plus en plus enfermé. Enfermé ? Peut-être libéré. De son corps en tout cas. Il n'y a plus de lacets à ses souliers. Il n'a plus de bas. Il ne passera pas l'hiver, c'est certain. Bernard ne le sait pas. Il ne sait pas. Ça impliquerait la conscience. Et celle de Bernard s'est tue. Seuls Ariane et son fil les unissent encore. Le corps veut lâcher. Il craque et vieillit.

De plus en plus, il a besoin de repos. Il fait des pauses sur la route. Il s'adosse à des murs et attend. Que le cœur ralentisse, que les mollets se détendent, que les sueurs coulent du front et dans le dos. Bernard a besoin d'un fil pour dire au corps sa nécessité de partir plus tôt du banc. Pour arriver avant la nuit, pour pouvoir s'arrêter au Jardin, pour reprendre son souffle.

Et personne ne remarque le corps de Bernard. Encore moins Bernard lui-même qui dérive bien loin derrière, mais dedans. Peut-être est-ce ailleurs. Et les yeux ouverts de Bernard ne voient pas les pieds des passants pourtant si près. Ni les chiens qui reniflent son odeur juste avant que le maître tire sur la corde. Alors ils s'éloignent sans même retenir l'odeur. Peut-être que la mort ne sent rien. Juste le mort ou la morte qui sent mauvais. Alors l'odeur que le chien renifle n'est pas celle de la mort mais celle du corps de Bernard qui a commencé à mourir.

♫

Bien loin de Bernard, dans un monde qu'on appelle le réel, un trottoir qui borde une rue qu'on appelle Saint-Jean. Et sur ce trottoir, un garçon de dix-huit ans qu'on appelle Simon et qui tient un objet qu'on appelle une guitare. Le garçon marche lentement, l'air gêné. Il a peur que sa guitare ne le fasse remarquer. Il ne veut pas attirer les regards. Il est tout mal à l'aise. Maladroit.

Il rase les vitrines et les murs pour éviter les passants. Il s'arrête dans les entrées des magasins et il laisse passer les gens. Son corps se fait petit et sa bouche s'excuse lorsqu'il frôle quelqu'un. Sa tête est penchée et il marche lentement. Sa guitare pend au bout d'un bras qui s'étire d'une épaule qui tombe. Simon est en route à l'intérieur. Il se rapproche de son corps. Il a racheté la guitare et ça le touche en dedans. Il doit revenir de la mort, après un séjour tortueux où il a abandonné son corps. Mais là, c'est fini. Mais là, ça finit.

La brunante veut se frayer un chemin entre le jour et la nuit. La chaleur est presque toxique, mais pas autant que les plaisirs nocturnes qui s'annoncent. La noirceur protégera Simon. Elle l'enveloppera et le rendra un peu invisible. L'habitude de la honte s'acquiert vite. On ne refait pas son estime en un jour. Pour ce soir, Simon rampe. Demain, peut-être réapprendra-t-il à marcher.

Bernard sur le banc. Bernard dont le corps oublie la prudence. Le contact est trop faible. Les messages passent mal entre Bernard et son corps. Bernard est encore sur le banc malgré l'heure orangée. Simon vient s'asseoir. Avec sa guitare dans les bras. Comme un paquet. Un sac d'épicerie. Pas comme une guitare. Pas comme la musique. Comme une distorsion. Il n'a pas renoué avec elle. Elle n'est pas réconciliée avec lui. Un peu rancunière. Mais Simon la tient près de lui. Il fait des petits pas vers lui-même.

Et puis il jette un coup d'œil à Bernard.

– R'garde… C'est ma guitare…

La tête de Bernard a peut-être bougé légèrement sur les épaules. Les oreilles captent les sons mais Bernard met du temps à déterminer s'il y a du danger. Il est plus lent. La tête sur les épaules était prête à réagir. Cette fois, les secousses et les soubresauts ne viendront pas.

– T'aimes-tu ça, toi, la musique ?

Et puis rien. Pas plus que d'habitude. Pas plus que rien. Simon le sait. Partage à sens unique. Mais Simon n'est pas encore refait. Il n'a pas la force des longs monologues à voix haute pour Bernard. Il n'a pas la voix. Il a beaucoup fumé, peu parlé depuis quelques jours. Il n'a ni la voix ni les mots. Pas même la musique. Il a la guitare sans la musique. En fait, la guitare, c'est tout ce qu'il a.

Mais sur le banc, le corps de Bernard bouge. Il se redresse. Puis les lèvres cherchent à bouger. Des sons veulent en sortir. Des voyelles et des consonnes mélangées. Mal organisées. Ou plutôt organisées selon un autre ordre de langage. Peut-être quelquefois des mots du réel. « … de toute façon… » par exemple.

Et le corps qui s'ébranle et se lève. La brunante est avancée. Le corps est en retard. Alors il s'en va. Et laisse Simon sur le banc, avec sa guitare.

– C'est tout? demande Simon.

Alors Bernard longe le mur du parc-cimetière où les oiseaux ne chantent plus. Bernard s'éloigne et Simon regarde Bernard qui s'éloigne. Bernard s'éloigne et Simon se rapproche. Tranquillement. De lui-même.

– C'est p't-être ça qui s'passe dans ta tête, la musique…

Chapitre XIII

Bernard descend la côte Sainte-Geneviève. Puis la côte d'Abraham. Comme d'habitude. Il est en retard mais ne le sait pas. Ou presque pas. Sur ses épaules, sa tête n'est pas trop excitée. L'heure tardive, un frôlement sur le manteau en croisant quelqu'un, l'épuisement des vieilles jambes qui forcent pour ralentir la descente, la sueur des aisselles et celle dans le dos, ça se passe dans le corps et Bernard n'en sait plus grand-chose. À peine le tic de la tête. Mais même ça, ça devient un rituel inconscient. Ça ne concerne plus Bernard. Il atteint le fond.

Il descend les escaliers à côté des toilettes du Jardin Saint-Roch. Il passe devant les toilettes, les allées de fleurs et le muret du repos. Il ne s'arrête pas, pas ce soir. Point de repos. Il est tard. Il fait presque nuit. Mais Bernard ne le sait pas. Il a coupé le lien.

Il traverse le Jardin par le même chemin. Il sort du parc par le même coin et atteint le boulevard Charest par la même petite rue où poussent les nouveaux bâtiments, signes de temps révolus. Le nettoyage à sec de Saint-Roch, ou à sac, c'est selon, est bien entrepris et Bernard est chassé. Il n'attend pas qu'on lui fasse signe. Il est parti depuis longtemps. Bernard traverse Charest sans regarder les voitures qui s'arrêtent en klaxonnant. Et Bernard ne les entend pas. Il est parti. Il ne s'en va plus. Son corps le dirige et son corps a choisi de ne pas entrer au mail Saint-Roch, de ne pas le traverser et de ne pas aller vers la porte de la chambre qui donne sur une marche qui tombe sur le trottoir. Le corps a décidé de longer la longue vitrine abandonnée.

Devant Bernard se dresse la muraille de l'autoroute Dufferin sous laquelle il s'engouffre. La nuit ne trouble plus Bernard. Ariane est partie avec son fil. Bernard ne perçoit plus les tremblements du corps. Sous l'autoroute, la nuit est plus dense. Le bruit est plus sourd. Maintenant, Bernard est dissimulé dans le corps qui se cache dans le noir.

Plus loin, le corps de Bernard dépasse la gare-château, la gare du Palais. Il se glisse entre les édifices et atteint le trottoir de bois qui borde le bassin Louise où des voiliers au repos attendent des départs illusoires. Le corps suit le quai et Bernard suit le corps. Par-dedans, pas par derrière. Il suit sans savoir qu'il suit. Mais peut-être qu'il sait où il va. La tête sur les épaules s'excite un peu plus. Mais à peine. L'amarre est rompue. Bernard dérive par-dedans. En fait, il est dérivé.

Bernard et son corps s'arrêtent sur le quai et fixent l'eau tout en bas. Elle est sombre. Il fait nuit. Et chaud. Encore. Il fait chaud sous le trench et la sueur a mouillé tout le corps. Les yeux de Bernard plongent dans le noir. Et tout son corps suit. Et Bernard suit.

Sur l'eau calme et noire du bassin, une goutte retombe. Puis une autre. Et encore une autre. Une dernière. Les ondes concentriques s'estompent. De l'une à l'autre, elles s'atténuent. Finalement, plus rien. L'eau sombre est redevenue calme et probablement que la tête ne cherche plus sa place sur les épaules. L'errance est finie.

♫

Dans le soleil de midi, Simon, guitare à la main, s'approche du banc. Mais Bernard n'y est pas. Il s'arrête. Il regarde le banc. Comme gêné. Comme si ce n'était plus tout à fait son banc. Finalement, il s'assoit. Il est raide, figé. Il fixe la place vide de Bernard.

– Où est-ce que t'es, toi, à matin?

Simon a parlé. Simon se sent mieux. Le temps est une distance. Avec le temps, Simon se rapproche du corps qu'il avait quitté quelques jours et, avec le temps, ces jours se distancient de lui. Il ne retourne pas au pied de l'autoroute Dufferin, dans le stationnement, pas même sous l'autoroute, à l'abri. Encore moins au Jardin. Sa guitare se rapproche de lui. Il fait des accords mal assurés mais son ventre travaille en même temps. Sa gorge se dénoue et sa tête se calme. Quelques mots ont pris place pour nommer. Et c'est ça qu'il veut dire à Bernard, son ami.

– Où est-ce que t'es, à matin?

Alors Simon fait vibrer les cordes une à une. Doucement. Quelques notes. Il place ses doigts pour former un accord. Puis, un autre. Des accords en mineur. Pour la circonstance.

Alors Simon s'essuie les yeux avec la manche de son t-shirt. Il passe ses mains sur son visage et dans ses cheveux. Puis, il fait un autre accord en mineur.

Alors Simon se lève et s'en va vers l'église-bibliothèque. Il longe le mur, puis s'arrête. Il jette sa veste de jean par terre et, du bout du pied, la ramasse pour y faire un creux au milieu. Il y lance quelques pièces de monnaie.

Alors Simon relève la tête. Il regarde autour de lui les passants qui vaquent tandis que lui, vague à l'âme. Alors du fond de son ventre, du fond de sa gorge, montent la musique et les mots.

– *Quand les clochards s'endorment*
Collés les uns aux autres
Les yeux hagards, serrant les coudes
Comme des apôtres
Pour un instant
Plein de douceur
Les continents
Touchent à leur cœur

Quand les clochards s'endorment
Collés les uns aux autres
Les dieux froussards versent
Des larmes comme les vôtres
Pour un instant
Plein de candeur
Les continents
Mouillent leur cœur
Comme sont lépreuses
Les secrètes parties des anges

Dans l'océan de la folie
Ultime beauté de la détresse
Que le pauvre diable porte en lui
Pour mieux sonder
Son infinie tristesse
Et la chanter
L'amour qui plonge

Le cœur qui gonfle
Comme une éponge
Quand les clochards
*Les anges et les démons s'égarent**

Un passant laisse tomber une pièce. Alors Simon sourit. Alors Simon chante. Alors tout est bien.

---

* « Quand les clochards », dans Plume LATRAVERSE, *Tout Plume (... ou presque)*, Éditions Typo, 2001, p. 267-269. © Éditions Typo et Plume Latraverse.

Remerciements

L'auteur remercie les éditeurs qui ont autorisé la reproduction graphique des chansons citées dans ce roman.